マンガでわかる

心理学入門

渋谷昌三 著
にしかわたく マンガ

はじめに

読者のみなさんは、「心理学」というものを身近に感じていますか。心理学というと、大学からでないと学べない専門的な学問で、フロイトやユングといった著名な心理学者の理論は難解でとっつきにくいと感じている人も多いことでしょう。確かに、心理学のテーマには非常に難解なものも少なからずあります。

しかし、その一方でテレビや雑誌などで性格診断や恋愛相談などが取り上げられる際には心理学がよく引き合いに出されます。また、心理カウンセラーなどの資格を取得するためのセミナーや専門学校の人気もいまだに高まっています。

こうした心理学ブームが現在も続いているのは、先行きの見えない社会状況や自分の生活に、多くの人が不安やあせりを感じていることの裏返しといえるでしょう。おおげさかもしれませんが、そのような迷える人たちの一助となるのが心理学なのです。

心理学とは、ひとことで言えば「心を科学的に分析する」学問です。さまざまな状況で、人はどのような行動を示すのか、そこにはたらく心理を解明しようとするものです。心理学を学ぶことによって他人の気持ち、さらには自分ではわかっているつもりでも実はわかっていなかった自分の気持ちでさえも、論理的・客観的に理解していくことができます。

例えば、あなたが誰かを妬ましく思ったり、苦手な人だと感じたりするのは、あなたの中にその人へのコンプレックスがあるからかもしれません。また、あなたの知り合いに話しやすい人とそうでない人がいることと思いますが、これも心理学ではちゃんとした理由をつけて説明できます。会議で自分はどの席に座ったらうまくいくか、部下の成績を伸ばすにはどうしたらいいかといったビジネスシーンのヒントも、心理学の中に隠されているのです。

本書は、あなたの生活の中で起こる出来事や身近なテーマを心理学で分析し、マンガと図解を交えてわかりやすく解説したものです。いささか難しい専門用語も出てきますが、これらは脚注などで詳しい解説を加えました。難解に思える心理学を、楽しみながらひも解いていただけるように構成しています。

この本が、読者のみなさんの知的好奇心に応えるものとなることを願っています。それとともに、人間関係がより円滑なものになったり、仕事や恋愛がさらに順調に進むなど、あなたの日常生活がこれまでよりも楽しく、より良いものになるための何らかのヒントを提供できれば幸いです。

渋谷昌三

第2章 集団心理がわかる

第3章 自分のこころがわかる

第4章 こころのしくみがわかる

これは俺、A《えー》野《の》太《ふとし》
うーん…
池田大学文学部二年生だ
やっぱ初デートは映画かな？
思い切っていきなり遊園地？
いやアウトドア路線で海とか山って手も…
えーい とりあえず電話しちゃえ！
先輩…もしかして昨日の子誘おうと思ってます？
ギクッ！

こいつは教育学部一年生の
笹《ささ》川《がわ》B《びー》子《こ》
ウフフ♥
やたらと生意気な同じサークルの後輩だ
なっ…お前に関係ないだろ!
あの子は脈ないと思いますけどね～
何を隠そう俺たちは昨日白鳥女子大生と5対5の合コンを敢行した!
B子は数合わせに仕方なく呼んだのだが…
お前…
もしかして妬いてる?
はあ～…先輩、鏡見たことあります?
こいつ黙ってればそこそこかわいいんだけどな…

とにかくあの子は無理ですって…
いーや 彼女、絶対俺に気があるね！
そう…ひとみちゃんは女神のような微笑みで俺の話に耳を傾けてくれたのだ！
最近のゾンビはやたらと全力疾走するけどさ…
俺に言わせりゃあんなの邪道だよ！
EVIL DEAD
やっぱロメロ版ゾンビは何とも言えない味があんだよね～
『死霊のえじき』なんてもう最高！
ふーん そうなんだぁ 知らなかった♪
ひとみ ホラー詳しくないから勉強になるよ～
いける…！
今回はいけるっ！
ぐっ!!
初めてなんだよな～ 俺のホラー映画トークに食いついてくれた女子♥
…先輩 彼女の足見てないでしょ?
足!? 見たよ！ 足首がキュッと締まって…
そーゆー話じゃなくて！

先輩が話してるとき彼女、やたらと足を組み替えてたのよ
…それが？
頻繁に足を組み替えるのは
退屈しているサイン！
ええっ!?
それから手ね
あの子拳をぎゅっと握ってたでしょ
言われてみれば確かに…
これは「NO」のサイン！
要するに先輩の話なんか聞きたくないってこと
ウソだ〜！
顔はにこにこ笑ってたけどひとみちゃんの本心は…
つまんねー話延々と聞かせんじゃねーよハゲ！
ギギギ
イヤあああああ！

ま
悪いことは言わないから
今回はあきらめなさい
…お前
なんでそんなこと
知ってんだよ!?
うふふ…
実はねぇ
ある人に
教わったの♪
…ある人?
ま…
マジで
ここなの?
そーよ
心理学研究室
失礼
しまーす!
ガチャ
あらあら
迷える子羊が
もう二匹…
池田大学
心理学部准教授
心山理美《ここやまさとみ》

あ、先客ですか
二人はこの大学の卒業生よ 今日は母校の先生に人生相談ってとこ
フラワーショップ経営
花《はな》咲《さか》C《しー》乃《の》
こんにちは
どうも…
食品会社勤務
D《でぃー》之《の》内《うち》栄《えい》作《さく》
じゃあ順番に話を聞きましょうか
C乃ちゃん何かあったの?
コツコツOLやって貯めたお金で今年やっと夢だったお店を開いたんです
フラワーショッ
花咲
小さなお花屋さんなんですけど
すごいじゃない!
でもひとつ問題が…
私 極度の人見知りでお客さんとうまくコミュニケーションできないんです

男性客と二人きりになると恥ずかしくて目も合わせられなくて…

あわわわわわ
それでよく店始めたな!!

な、なるほどね…

D之内くんは?

自分は真面目だけが取り柄で
今まで仕事に全力投球してきました!!

ところが先日取引先の部長に
「空気の読めない奴だ」と怒られてしまいまして…

ずいぶん失礼な人ねえ!

どうも接待の場で私が余興として披露した円周率の100桁暗唱で気分を害されたらしく…
3.14159265358979323846264338327950288…
どよーーん…

こいつマジで空気読めねえーー!!

えーと A野くんだっけ？ あなたは？
ぼ 僕はその… 恋愛関係と 言いますか…
ぶっちゃけ モテたいんです！
ど直球で 来た わね…
先生 僕たちどうすれば いいんでしょう!?
……
C乃ちゃんの「人見知り」 D之内くんの「空気読めない」 A野くんの「モテたい」
これって全部 自分や他人の 心の問題よね？
そして人間の心を アカデミックな 方法論で分析し
積み重ねてきたのが 「心理学」
私の専門だから 言う訳じゃないけど こんなに 「使える学問」 ってそうはない
心理学を学べば きっと 自分なりの答えが みつかるはずよ！

せっ先生〜〜！
ところでB子ちゃんあなたはいいの？
あー、私は間に合ってます
毎日楽しくて悩みなんて全然ないしぃ〜
負け犬同士の傷のなめ合いって趣味じゃないんでぇ〜
お前絶対友達いないだろ！
うっ…！
図星!!
かくして1人の船頭に導かれ心理学の海に漕ぎ出した旅人4人——
彼らの行く先に待っているものとは果たして…!?

マンガ主要人物紹介

A《えー》野《の》 太《ふとし》

池田大学２年生。性格は温厚でのんびり屋で、いつも寝ているかのような目をしている。目下の悩みはモテないこと。

笹川《ささがわ》B《びー》子《こ》

池田大学１年生。A野の後輩だが気が強く、いつも彼を引っ張り回す自己中心的な女の子。悩みは友だちが少ないこと……。

心山《ここやま》理美《さとみ》

池田大学心理学部准教授。人呼んで「池大のシンリー・ローハン」。心理学に身を捧げ、人の悩み相談にものる人気の先生。

花咲《はなさか》C《しー》乃《の》

池田大学ＯＧ。フラワーショップ経営。接客業だが、極度の人見知りで人とコミュニケーションを普通にとることができない。

D《でぃー》之《の》内《うち》栄作《えいさく》

池田大学ＯＢ。会社員。真面目だけが取り柄と自分ではいうが、まわりからは空気が読めないと怒られている。

第1章
他人のこころがわかる

心理学はその名の通り、「こころ」を科学的に解き明かそうとするもの。
他人のこころを覗いてみたいと思ったことはありませんか?
人の言動や口ぐせなどから解き明かしていきましょう。

心理学で他人のココロを読み取る！

態度で相手の心理がわかる

自分のことを悪く言う人は…
いや〜 オレなんか 全然だよ
ブサイクだし 背は低いし
かといって 勉強はできないし スポーツもダメ
何のために 生きてるんだか…
うーん…
まあ そうよね
どーん!!
すっ… 少しくらい
否定して くれても!!
本当はめちゃめちゃほめてほしい！

なぜ、人の不幸を喜ぶのだろうか？

自分の周囲にいる人を見て、「どうしてあのような態度をとるのだろう」と思うことはありませんか。私たちは心理学を活用することで、その人がどのようなタイプか、あるいは行動パターンなど身体に表れるさまざまな動きを手がかりにして、隠された深層心理を読み取ることができます。

例えば、あなたの周りにも何かと他人の不幸を喜んだり、他人が不幸になることを願ったり、他人の幸せを妬《ねた》んだりする人がいるのではないでしょうか。その人が経済的・社会的に恵まれているような場合はなおさらで、「きれいなお嫁さんをもらった」「家を新築した」という他人の話を妬ましく思ったり、その人が後になって「離婚した」「家が火事になった」などと聞くと、不道徳だとはわかっているのにその人の不幸を楽しんでしまう人はいます。

他人の不幸を喜んでしまうのは、相手を見下して**自分が優越感に浸《ひた》ることで、自分が幸せな気分になろうとする心理がはたらく**からです。特に、相手が自分よりも恵まれていればいるほど「あの人は幸せそうだったけど、今のあの人に比べたら私の方が幸せ」という意識がはたらき、その人に勝ったような気分になるのです。

「同期の中でアイツだけ出世しやがって」などと、他人の幸せを妬《ねた》ましく思う気持ちも同様です。これも、自分と他人を比べた結果、自分が劣るように思え、**劣等感**を抱くために起こる心理なのです。人は自分と他人を比較して優劣を決めがちですが、**自尊感情**が弱いほどその傾向が強くなります。自分と他人を比較して、一喜一憂しないようにしたいものですね。

自尊感情
自分自身を肯定的に評価する感情のこと。この感情が一定以上に強いと、自分と他人を比較しても優越感や劣等感による刺激をそれほど受けなくなるが、強すぎると自信過剰になり、「自分には価値があるのだから、尊重されるべき人間だ」という心理がはたらくので注意が必要。

相手をヨイショするのは自己評価の低い人

　何かにつけて人を批判したり、悪口や誹謗中傷を言ったりする人は、この劣等感（**コンプレックス**・P167参照）が強いのだと考えられます。自分よりも優れている相手に対して抱いている自分自身の劣等感情を消すために、相手の価値を引き下げることで同じ位置に立とうとする意識がはたらき、相手に対して不遜《ふそん》な態度をとってしまうのです。これは、心理学では**引き下げの心理**と呼ばれます。

　同じ批判や悪口でも、家族など身内のそれをよく言うタイプの人もいます。「受験といえば、息子が一流大学に合格したのよ」「あら、うらやましい。それにひきかえうちの夫ときたら……」といった具合に、どんな話をしていても最終的には家族の自慢、あるいは逆に家族への愚痴に話を持っていくのです。**身内の自慢や愚痴を話題にしがちな人は、広い世界に飛び出していくことが怖く、自分の領域に閉じこもっている人**が多いようです。このようなタイプは女性、特に主婦にありがちなものといわれていますが、これにもワケがあります。一般的に主婦は家にいる時間が長く、外の世界との接触が少なくなるため、どうしても自分の身のまわりのことが主な話題になってしまうからです。

　人のことを悪く言う人がいる一方で、「あいかわらず頭がいいですね」「今日もカッコいいですね」などと、やたらとほめてくる人もいます。誰でもほめられれば悪い気はしないものですが、もしかしたら心にもないお世辞を言っているだけで、単なるゴマすりやおべんちゃら、ヨイショの可能性もあります。お世辞を言う人の心理

引き下げの心理
例えば、「彼は英検一級を持っているというが、今の職場ではたいして役に立たない」「アイツが俺より出世が早いのは、上司にゴマをすって取り入っているからだ」といった具合に、根拠もなく相手をおとしめることで自身のコンプレックスを打ち消して、優越感を得ようとする。

迎合行動のパターン

迎合行動はひとつではなく、いくつかのパターンがある。迎合行動が複数のパターンの組み合わせで起こることもある。

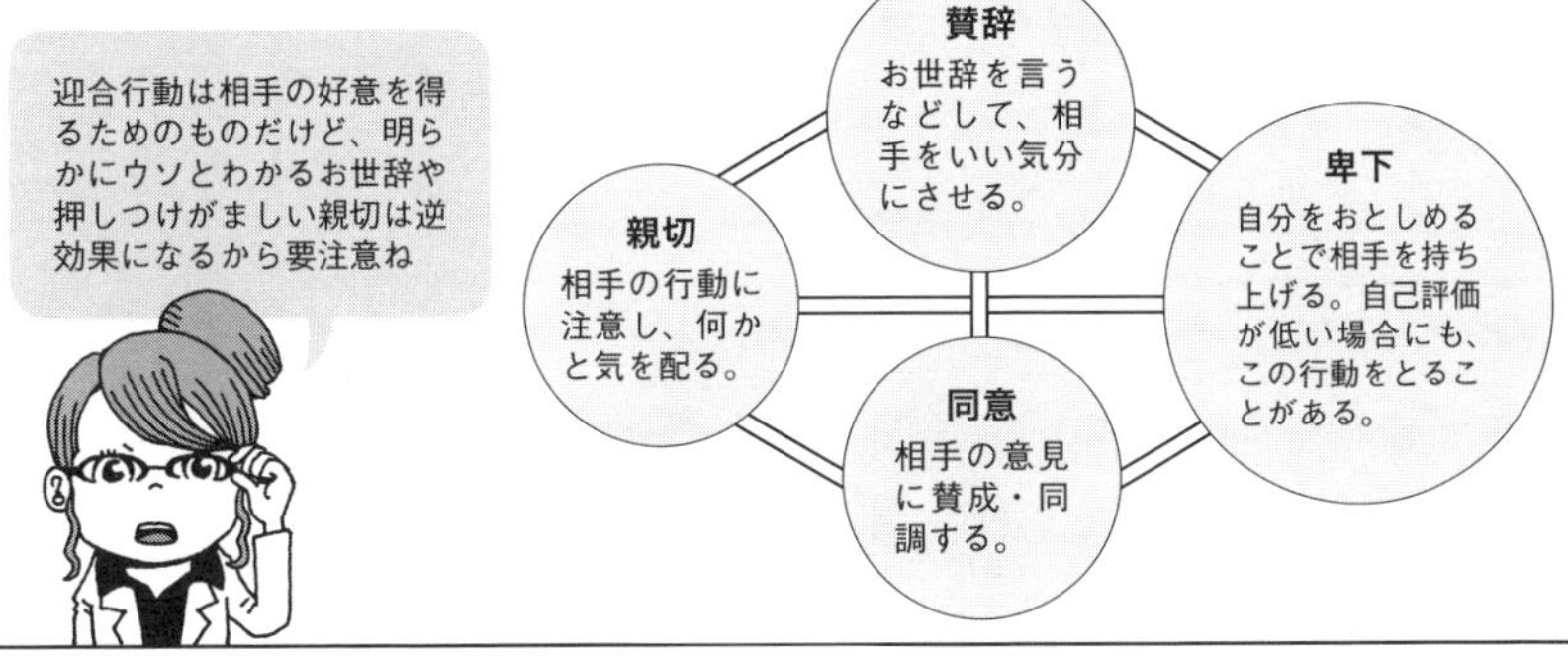
迎合行動は相手の好意を得るためのものだけど、明らかにウソとわかるお世辞や押しつけがましい親切は逆効果になるから要注意ね
賛辞
お世辞を言うなどして、相手をいい気分にさせる。
卑下
自分をおとしめることで相手を持ち上げる。自己評価が低い場合にも、この行動をとることがある。
親切
相手の行動に注意し、何かと気を配る。
同意
相手の意見に賛成・同調する。

は、心理学で言うところの**迎合行動**で説明できます。迎合行動はお世辞や賛辞のほか、相手の意見に賛成するなど、相手の好意を得るための言動を指します。

「私は頭が悪いので」などと自分を卑下《ひげ》する発言も、この迎合行動に当てはまります。この人は自分のことを「頭が悪い」と本気で思っているわけではなく、自分を低く見せることで相手を持ち上げようとする心理がはたらいているのです。ですから、必要以上に自分を卑下する人が、本心では「そんなことはないよ」と相手から否定してもらいたいと思っているケースもしばしばあります。自分を卑下する発言は、自分に自信がなく、他人にもめったにほめられることがないという人に多いようです。そのように**自己評価**が低い人は、あえて自分をおとしめ、それを相手に否定してもらうことで自尊心を満足させるのです。

自己評価
自分が自分自身に対して行う評価。肯定的な自己評価のことを「自信」と言い換えることもある。

第1章
他人のこころがわかる

ちょっとした会話の端にも他人の心理が表れる
口ぐせで相手の心理がわかる

オレ今日ちょっと忙しくてさ
悪いけどコンパの幹事替わってくれない?
…いいですよ
〝でも〟私もレポートとかいろいろあるんですよね…
どうしてもって言うならしかたない
はあ〜〜っ
〝どうせ〟先輩命令には絶対服従なんだから…
私ってつくづく〝断れない人〟なんですよね〜
もういい!!
お前には頼まん!!

“でも”“どうせ”に隠されている心理とは?

「一応」「とりあえず」は自信のなさの表れ

よく口にする口ぐせからも、その人の心理を読み取ることができます。

会話の頭に**「一応」**や**「とりあえず」**をつけるのは、わりとよく耳にする口ぐせといえます。しかし、例えば「この書類に目を通しておいてね」と誰かにお願いした時、「一応やっておきます」「とりあえず見ておきます」などと返事をされると、普通に「見ておきます」と返事をされた時よりも違和感を感じます。これではお願いした方も「本当に目を通してくれるのか」と不安になります。実際、「一応」や「とりあえず」を会話の中で頻繁に使うのは、**自分が言っていることに対して自信が持てない**人の場合が多いようです。心理学的には、自信がないのをごまかすために、自分の弱点を相手に隠そうとする**防衛反応**がはたらき、このような言葉を思わず口にしてしまうのだと考えられます。

「仕方がない」「しょうがない」を多用する人も、自分に自信がないことを隠すために予防線を張っているのかもしれません。相手に対しての「仕方がない」はなぐさめの言葉ですが、自分の行為に対してその言葉を使うのは、**失敗した時の自分自身への言い訳を用意する**ためです。

それとは逆に、**「だから」**が口ぐせの人は、何がなんでも自分の言いたいことを相手に伝えたいという**自己主張の強い人**です。「だから」という言葉は、「だから私があの時に言ったじゃないか」といった具合に、自分が行った過去のことを主張したり強調する時に使います。これを多用する人は理屈っぽく、自分の考えを相手に押しつけがちなタイプといえます。

防衛反応
防衛機制（P－68参照）ともいう。心理学の分野では、不安などから自分を守ることを「防衛」という言葉で表現する。

相手を不愉快にさせる「D言葉」にご用心

「つまり」は、「つまり私が言いたいのは○○なんだ」というように、自分の主張をまとめて結論を言う時に使います。しかし、必ずしも論理的に話を組み立てているわけではなく、うまく説明できないために筋道が立ってるように見せようとして「つまり」を連発している場合もあります。

「でも」や**「だって」**、**「どうせ」**など、いわゆる**D言葉**が口ぐせの人はどうでしょうか。これらの言葉は相手の意見を否定するものではありますが、「だが」「しかし」のような強い否定ではありません。D言葉が口ぐせになっている人は、**しっかりとした反対意見を述べるでもなく、否定的な言葉を続けて重箱の隅をつつくように文句を言うタイプ**です。

しかも、これらの言葉を使って反対する人に限って、**自分が責任を取るという姿勢は見えません**。特に**「だって」**は相手に責任を転嫁する言葉で、言い訳ばかりして自分の主張しかしないわがままな人だという印象を受けます。両親に甘やかされて育った人に多いタイプといえるでしょう。

「どうせ」という言葉は、「どうせできっこない」「どうせ私は頭が悪いから」といった具合に、マイナス思考の内容の会話が後に続きます。「私はどうせ○○」などと自分で言ってしまうような人は、**自己愛が少ない**タイプの人といえます。自分に無関心なため「私に何かを期待したり、望んだりしても失望するだけだ」と、自分からは何もしない方が安全だと考え、消極的で現実逃避的な行動をとったりします。

また、「どうせ」は「だって」と同じく、**責任を誰かに転嫁する言葉**でもあります。

D言葉
「でも」「だって」「どうせ」「だけど」「だったら」など、だ行で始まる否定的なニュアンスを含んだ言葉。これを使うと、相手の心証が悪くなることが多いので注意。

自己愛
自分が大事という考え方。著名な心理学者の**フロイト**（P-95参照）は、「子供が発育していく上で生じる必然的なもの」であるとした。自己愛が強すぎることを**ナルシシズム**（P-47参照）という。

「でも」「だって」を使わない方法

「でも」や「だって」などのD言葉は、相手を不快にさせてしまうケースが多々ある。相手を否定したり断ったりする時には、上手に言葉を選ぶように。

○ 良い例

新しくオープンしたレストランに行ってみようよ
ごめーん、今月はお財布がピンチだから、今回はいつものファミレスでどう？

「すみません」など謝罪の言葉を前置きしてから、具体的な解決策を提案する。

× 悪い例

新しくオープンしたレストランに行ってみようよ
でも、高級そうだしお金がかかるんじゃ…

「でも、○○だから」と、小さなことにいろいろ反対意見を言う。

イソップ童話の「すっぱいブドウ」の話に出てくるキツネのように、自分の目的や欲求が達成されないため、現実と欲求とのギャップを埋めようとして、自分に都合のいい理屈を考え出してしまうのです。

同じように、「私って不器用だから」「私、もの覚えが悪い人なの」などという場合の**「私って○○な人」**という言い方も、「私は不器用だから、こんな仕事を私に頼まないで」とアピールして、自分の逃げ道をつくっている人だといえます。わざわざ「私は○○な人」と公言するのですから、その言葉は基本的には正しいと思う人もいるかもしれません。しかし、実際は本人が言う「私は○○」は、周囲の人たちの客観的な見解とは違っているケースも多々あるので、真に受けずに「そうだったっけ？」などと適当に受け流すぐらいがちょうどいいのかもしれません。

すっぱいブドウ
イソップ童話のひとつ。ある日、たわわに実った美味しそうなブドウを見つけたキツネは、それを食べようとして跳び上がる。しかし、ブドウは高いところにあるので何度やっても届かない。キツネは怒りと悔しさのあまり、「どうせこのブドウはすっぱくてまずいに違いない。誰が食べてやるものか」と捨てゼリフを吐いて立ち去った。

第1章 他人のこころがわかる

こんなことをする人は何を考えている？

行動から相手の心理がわかる

かたづけられない人の心理
①ものを捨てることに罪悪感がある
この紙袋何かに使えそうよね…
とりあえず取っとこうかな
②完璧主義すぎてかたづける前に疲れてしまう
古雑誌もいつか読みたくなるかも…
ゼーゼー
ちゃんと発売日順に並べなきゃ…
③捨てる捨てないの判断がつかない
古くなってもう使わないカバンだけど愛着が…
とりあえず…
④心に余裕がなく散らかっていることに気づかない
……
ぐちゃ〜っ
ゴミ屋敷のできあがり♥

行きつけの店に行くのは優位に立ちたいから

その人の日常的な行動からも、心理を探ることができます。ここでは、現代人にありがちな行動から読み取れる深層心理を解説しましょう。

レストランや飲み屋へ行く時に「どの店へ入ろうか」となったら、やはり自分の行きつけの店へ行くことが多いのではないでしょうか。特に異性をデートに誘った時などは、自分がよく知っている店へ相手を連れて行った方が「この店では魚料理がおすすめだよ」といった具合に、自信を持って相手をうまくリードできます。

行きつけの店へ行きたがる心理は、心理学では**ホームグラウンド効果**で説明できます。野球やサッカーのチームは、ホームグラウンドの方が実力を発揮できるといわれています。それと同じように、行きつけの店ならそこの特徴をよく知っていたり顔見知りの店員もいるので、相手より優位に立って力を存分に発揮できるのです。

さて、せっかく素敵なお店へ連れて行ってもらったのに、その人が店員に偉そうな態度で文句を言ったりしたら、せっかくの料理も台無しですね。このような人は、心理学的には**弱い立場の人に威張ることで、自分の優位性を確認している**と考えられます。飲食店などサービス業は、お金を受け取ってサービスを提供する店側と、お金を払ってサービスを提供してもらうお客側で明確な立場の違いが存在します。自分の立場が上だと感じる状況では、やたら横柄な態度をとってしまう人はいるものです。よく「お客様は神様」などと言いますが、「お金を払う自分の方が偉い」と勘違いしてしまうのは感心できませんね。

ホームグラウンド効果
一般的に、野球やサッカーなどのスポーツはアウェイ（敵地）での試合より、慣れ親しんでいるグラウンドで大勢の地元のファンからの応援を受けて行うホーム（本拠地）での試合の方が、勝率が高いとされる。

片づけができない人の心理

片づけが苦手な人は、「捨てるか捨てないか迷ったら、捨てる方を選ぶ」「今日はこの引き出しだけ整頓する」といった具合に、マイルールを設定するといいわよ

- 心に余裕がなく、散らかっていることに気づかない
- 優柔不断で「捨てる」「捨てない」の判断ができない
- ものを捨てることに罪悪感がある
- 家庭環境（親などが同様に片づけができないなど）
- 片づけるからには完璧にやろうとして、片づける前に疲れてしまう

※生活に支障をきたすほど病的に片づけができないという人は、注意欠陥・多動性障害（AD/HD）という発達障害の疑いがある。

片づけができない人は問題を先延ばしにする

自分の部屋や職場の机の上などがいつも散らかっている人は、あなたの周りにはいませんか。**片づけが苦手**という人が多いのも、モノがあふれている現代にありがちな「現代病」のひとつといえます。

このような人に共通しているのは、**決定を先延ばしにする**という心理です。捨てようか、とっておこうか迷った時、決定を先延ばしにしてとっておいた結果、ほぼ永久的にとっておくことになり、物があふれかえってしまうのです。

その散らかっている原因が、実はおもちゃやフィギュアだという人は、読者のみなさんの中にもいるのではないでしょうか。最近は大人でも、おもちゃやゲーム、フィギュアの収集に夢中になっている人は

片づけが苦手
片づけがどうしてもはかどらない人は、「今日はファイルの整理だけをする」「捨てるか捨てないか迷ったら、捨てる方を選ぶ」といった具合に、目標や自分だけのルールを設定しておくとよい。

たくさんいます。一般的に、おもちゃやフィギュアを集める人の多くは男性で、女性の視点では「いい歳をしておもちゃで遊ぶなんて」「何が面白いのかわからない」と思われてしまうようです。

男性の場合、子供っぽいことを「少年の心を持っている」などと言われたりもしますが、女性よりも幼児性を残していることが多いのは確かなようです。このように、年齢的には成熟した大人であっても、「いつまでも子供のままでいて、大人になりたくない」という男性にありがちな願望は、心理学では**ピーターパン・シンドローム**（P211参照）と呼ばれます。

おもちゃやフィギュアに夢中になる人もいれば、アイドルに夢中になる人もいます。いわゆる**アイドルオタク**と呼ばれる人たちは男女を問わず、仕事を犠牲にしたり生活を切り詰めたりしてまで、アイドルと握手できる「握手券」が同封されたCDを1枚といわず大量に買ったり、ツアーに参加していわゆる「追っかけ」になり、少しでも同じ時間を共有しようとします。

異常なまでにアイドルにハマッてしまう人は、自分を卑下したりする人と同じように**自己評価**（P21参照）が低い人に多いようです。自分のルックスに自信がない、過去につらい失恋を経験している、相手に交際を断られるのが怖いので現実の恋愛に踏み出す勇気がないなど、その理由はさまざまですが、そういった**現実から逃避する手段としてアイドルに夢中になる**のです。実際に交際できるわけではありませんが、恋愛対象がアイドルであるならその人はいつも笑顔でいてくれますし、自分の恋心を拒絶することもありません。現実逃避しすぎて、周囲が見えなくなるほどアイドルに夢中にならないようにご注意を。

アイドルオタク
かつてはアイドル全般に詳しい人のことを指していたが、近年は特定のアイドルに熱を上げている人をこう呼ぶ場合が多いようだ。あまり社交的・活動的ではないイメージがあるが、近年はアイドルのコンサートで独特の踊りやかけ声（オタ芸）を披露するなど活動的なアイドルオタクもいる。

しぐさで相手の心理がわかる

手や脚の動きで、うっかり本音がバレる?

納得できない。
心の葛藤。
自己防衛。
いらだち
不安。
カタ
カタ
カタ
カタ

手のしぐさで
イエス・ノーがわかる！

何気ないしぐさからも、相手の心理状態がわかります。会話の最中に相手が何を考えているのか気になった時は、手の動きに注意してみましょう。言葉や表情に出ていない本音が読み取れるかもしれません。

例えば、**手のひらをこちらに見せるしぐさは「あなたの話を聞きますよ」という肯定のサイン**。逆に、テレビドラマ『古畑任《ふるはたにん》三郎《ざぶろう》』の主人公のポーズとしておなじみの**人さし指で額を押さえるしぐさは「納得できない」という否定の意思表示**です。イエス・ノーの意思表示を表す手のしぐさを別表にまとめました（P32参照）。

これ以外にも、手のしぐさにはさまざまな感情が表れます。古畑警部補のしぐさがノーの意思表示なら、名探偵・金田一耕助《きんだいちこうすけ》の手で頭をかくしぐさはどうかというと、心理学では**頭をかくしぐさには不安や緊張、心の葛藤、不満などが表れる**とされています。手で自分の顔や体などを触ったりするのも、同じ心理を表すしぐさです。

これらのしぐさのように、自分の手で自分の体にさわる行為を**自己親密行動**といいます。これは、泣いている小さい子供が親など身近な大人に頭をなでられると泣き止むのと同じで、自分の体に触れて不安をまぎらわしたり、気持ちを落ち着かせる効果があるのです。髪の毛を指に巻きつけたり、なでたりする女性によく見られるしぐさも、自己親密行動の一種です。

自己親密行動には、幼児期に親などにやってもらったことを今してほしいという思いが表れています。自己親密行動が多く見られる人は甘えん坊で、依存心が強いタイプの人が多いといわれています。

自己親密行動
よく見られるしぐさのひとつに腕組みがあるが、腕を組む行為にはこの自己親密行動の場合と、自己防衛的な場合の2種類がある。前者は、ひじが下を向いて自分の体を包み込むように腕を組むもので、上司や異性などと向き合って緊張している時などに出る。それに対して後者は、相手を威嚇することで防御態勢をとるように、ひじが上向きになり相手の方に向かうように腕を組む。

イエス・ノーがわかる手のしぐさ

イエスのサイン

（相手の話を聞いている・同意している）

- 手のひらを見せたり、手を広げて机の上に置く
- あごをさする
- 2人の間にある灰皿や書類などを片づける
- 身を乗り出して前のめりになる

など

ノーのサイン

（相手の話を聞きたくない・承知できない）

- 体の前で握りこぶしをつくる
- 両手をももの上に置き、ひじを張る
- 机の上にあるものをいじったり、置き直したりする
- 指やペンで机をトントンたたく
- 鼻の下をさわったり、鼻の横をこする
- 指で額の真ん中を押す

など

無防備な脚の動きにこそその人の本心が表れる

手のしぐさ以上に、その人の深層心理が表れやすいとされているのが**脚のしぐさ**です。脚は、人間の体の中では目から最も遠い位置にあり、また座るとテーブルなどで隠れてしまうことも多く、それだけ無防備なため本心が表れやすいのです。

とりわけ自分の意志でコントロールしにくいのは**ひざやつま先**です。ひざやつま先は、自然に関心のある人の方向へ向いてしまうものです。飲み会やパーティーの席で異性と座りながら談笑している時、相手の上半身はこちらを向いているのに、ひざやつま先は他の人の方を向いていたら、その人はあなたに脈がないのかもしれません。

また、相手があなたの話をリラックスして聞いていればいるほど、座っている相手

ひざやつま先

女性の場合、大きく脚を開くのははしたないとされている。男性よりも脚の動きが制限されるので、女性の方が脚の動きで本心を読み取るのは難しいといえる。しかし、ひざやつま先の動きまでは女性でもコントロールしにくいため、男性・女性を問わず相手の心理状態を知る有効なサインとなる。

の脚はゆるんで開いてきます。つまり、**座った時の相手の脚の開き具合はその人の緊張度を示すとともに、心の開き具合を表している**ともいえます。

もし、あなたが会話をしている相手の心理状態を知りたいと思ったら、脚の開き具合を見てみましょう（下図参照）。商談などの席で、相手がひざを開いた状態で話を聞いていれば、うまくいく可能性大と考えていいでしょう。逆に、**座っている時に頻繁に脚を組み替えたりするのは不愉快な感情やイライラした気分の表れ**なので、速やかに話題を変えたり、会話を切り上げたりした方が賢明です。

貧乏ゆすりも、心の中にいらだちや不安がある時にこれを解消しようとして起こるしぐさです。交渉の場などでこれをやってしまうと、相手にこちらの弱点を知られてしまうことにもなるので注意しましょう。

脚の開き具合でわかる相手の心理

④の場合でもごく自然に組んでいれば、①と同じくリラックスした姿勢と見ることもできるわね

①脚を軽く開いて座っている

リラックスして話を聞き、こちらを受け入れようとしている。

②脚をかたく閉じて、またはかたく組んで座っている

自己防衛のポーズ。不安や緊張を感じており、相手の侵入を拒んでいる。

③脚を大きく開いて、または投げ出して座っている

相手を威嚇、または見下している。

④脚を軽く組んで座っている

相手によく見られたい、認められたいと思っている。

貧乏ゆすり
心理学的にはフラストレーションを解消しようとする体の動き。細かく足をゆすると、小さな振動が脳神経に伝えられ、緊張やストレスをやわらげる効果があるという。

あの人のことはムシが好かない!

誰かを生理的に嫌う理由

E子ってマジムカつく!!
何かってゆーと私の意見に反対するのよ!!
F美とはもう絶交だわ!!
人の言うことまるで聞く気ないんだから!!
う~ん
私から見ると
あの2人——
E子
F美
似た者同士
だと思うんだけど
な…

ムシが好かないのは理由を考えたくないから

例えばヘビやゴキブリなど、あなたが生理的にどうしても嫌ってしまうものがあるのと同じように、「あの人は生理的に受け付けない」「どうにもムシが好かない」という人がいるのではないでしょうか。誰かを嫌う感情は、多くの場合はそれだけの理由があるものですが、「生理的に受け付けない」ということは、嫌いな理由を考えても説明がつかないということ。特に相手のことを嫌っている場合には、嫌いな理由を考えることさえ嫌になるものです。

それでは、なぜ嫌いな理由を考えたくないのでしょう。心理学的にいえば、その理由のひとつは**相手の嫌な部分をあなたも持っている**から。相手の嫌いな部分が自分にもあることに気づくと、それに向き合いたくないために「生理的に嫌い」ということにして、それ以上考えないようにしてしまうのです。もうひとつの理由は、**相手が自分にないものを持っている**から。お金でも容姿でも、自分が欲しいものを持っている相手に嫉妬してしまうのです。そのことを突き詰めて考えると自分の器の小ささが浮き彫りになってしまうので、それを避けるため相手を毛嫌いするのです。

とはいえ、いつまでも相手を毛嫌いしているわけにはいきません。一般的に、人は自分と同じ意見や価値観を持つ人に対して好意を持つといわれています（これを心理学では**類似性**といいます）。たとえ嫌いな人でも、生理的に嫌いな人でも感情的に拒絶するのではなく、「人格と意見は別」と考えて、相手の意見や主張で納得できるところを見つけて、それに同意したり、支持したりするのがよいでしょう。

類似性
アメリカの心理学者**バーン**と**ネルソン**は、被験者に教育や福祉、人種問題、文学など幅広いテーマで意見を聞いて調査票を作成しておき、ある被験者に他の被験者の調査票を見せて、その人の知的能力や教養、道徳などを評価するように求める実験を行った。その結果、意見の一致や類似が多くなればなるほど好意度が増すことが証明された。

人が人を好きになる秘密を解く

好かれる理由、嫌われる理由

みんな会いに来てくれてありがとー!!
うおーG子ちゃん最高～!!
ライブ後ファンの集い
G子ちゃんの魅力はやっぱあのルックスだよな～
いやーオレは同じS玉県出身者として支持してるぞ
私は一人のアニオタ仲間として応援してます!!
M系の僕としてはあのSっ気がたまんないんだよ♪
ライブで目が合うといつもほほえんでくれるんだ～♥
一口に「好き」と言っても
う～～ん…
理由はいろいろなんだなぁ～

対人魅力を決定するのはルックスだけじゃない

あなたは、自分が周囲の人たちから「好かれている」と思いますか。それとも「嫌われている」と思っていますか。そもそも、人から好かれる人と嫌われがちな人との違いはどこにあるのでしょう。

周囲の人から受ける好意や尊敬、あるいは嫌悪や軽蔑といった感情のことを、心理学では**対人魅力**といいます。対人魅力を決定づける主な要因には、①**近接性**、②**身体的魅力**、③**類似性**、④**相補性**、⑤**好意の返《へん》報《ぽう》性《せい》**といったものがあります。

人と人とは、出会って間もないころには情報が少ないため、「自分の家の近所に住んでいる」とか「ルックスがいい」といったことがきっかけで親しくなったりします。これが近接性と身体的魅力です。

自分と価値観が似ていたり、同じような経験をしている人に好意を持つのが類似性です（P35参照）。逆に、自分にないものや欠けているものを持っている人に好意を持つ場合もあります。お互いの足りないところを補い合うことで、うまくいく可能性が上がるからです。これが相補性で、このような感情を互いに持つことを**相補的関係**といいます。

そして、**人は自分のことを好きな人に対して好意を持ちやすい傾向があります**。これが好意の返報性です。

あなたが好かれるか嫌われるかは、これらの要因が大きいか小さいかで決まるというわけです。心理学は、あなたが好かれる理由、嫌われる理由を教えてくれます。それを知っておけば、上司と部下、恋人どうし、親子といった、あらゆる人間関係を良好なものにすることができるのです。

相補的関係
性格や意見が異なる者どうしが対立するのではなく、お互いを補完するように機能してバランスを取っている状態のことで、アメリカの心理学者**ウィンチ**が提唱した。相補的関係は、とりわけ男女の関係で多くみられる傾向にある。

相手と仲良くなるコツを伝授!

もっと相手に好かれる方法

ごめ~ん B子ちゃん
H君
人類学のノート貸して!!
!
またァ!? 本当にこれが最後だからねっ!!
Hのヤツ バカだなぁ~ 完全に嫌われたぞ
H君って なんかほっとけないのよね…
これって母性本能?
B子ってば好きなんじゃないの?
ガーン!!!

人は助けた相手を好きになる？

それでは、相手に好かれるためには具体的にどんなことをしたらよいのでしょう。ここでは、心理学にもとづいた「相手に好かれるコツ」を伝授します。

まず、あなたに仲良くなりたい相手がいるなら、その人に頼みごとをするとよいでしょう。実は、**人を助けると、助けた相手を好きになる**ことが実験で証明されています。アメリカの心理学者**ジェッカー**と**ランディ**は、被験者に問題を解かせて正解するごとにお金を支払い、被験者が帰る際に、①「申し訳ないが研究資金が底をついているので、お金を返してくれませんか」と実験の責任者が返金を依頼する、②同じように事務員が依頼する、③返金を依頼しない、のいずれかを被験者に対して行うという実験を行いました。実験後にアンケートをとった結果、①の被験者のグループが責任者に対して最も好意を感じており、しかも返金額が多かった被験者の方がより好意を持っていることがわかりました。

これは、心理学では**認知的不協和**と呼ばれています。人は、自分の行動に矛盾がある場合、その矛盾を心の中で解消しようとします。つまり、「返金してほしいという依頼はかなえてあげたいが、せっかくもらったお金は返したくない」という心の中に矛盾がある状態を嫌い、「返金に応じたのは、私がこの人を好きになったからだ」と考えるようになるのです。

思い切って頼みごとをしてみれば、思いがけず仲良くなれるかも。ただ、あまり大きな頼みごとでは断られてしまうので、相手がやや抵抗を感じつつも引き受けやすいくらいの頼みごとがベストです。

認知的不協和
アメリカの心理学者**フェスティンガー**が唱えた説。2つの要素の間に不協和が存在する（心の中に矛盾を抱えている）場合、人間は一方の要素を変化させることによって、不協和な状態を低減・除去することができる。P57も参照。

とにかくほめる！　そして、何度でも会え！

もうひとつの方法は、相手をほめることです。**人は、自分に好意を持っている人のことを好きになる**傾向があるからです（**好意の返報性**《へんぽうせい》・Ｐ37参照）。自分の意見や主張に対して賛同や支持を受けたり、行動をほめられたりしたら、大きな満足感を得られるものです。このように、人間関係によってもたらされる満足感や共感のことを**社会的報酬**といいます。社会的報酬をもらった人は、それをくれた人に対して社会的報酬を返そうとするのです。

ただし、相手が自己評価の低い人だったり、自分のことを嫌っている場合は、相手をほめても逆効果になってしまいます。お世辞、あるいはバカにしていると解釈されて相手を不快にさせてしまうからです。このようなケースでは、共通の友人や知人を介して間接的に相手をほめるのが効果的です。本人から直接聞くよりも、第三者から聞いた方がより信頼がおけるからです。自分を卑下している人でも、あなたが自分のことをほめていることが第三者から伝われば、お世辞とは思いません。

もうひとつ重要なのが、その人と何度もくり返し会うことです。初対面の時は印象に残らなかったのに、会っているうちに親近感を感じるようになった人はいませんか。**人は、会う機会が多ければ多いほど、相手のことを好きになる**のです。これは、心理学では**単純接触の原理**といいます。

アメリカの心理学者ザイオンスは、大学の卒業アルバムから抜き取った10枚の写真を2枚ずつ5グループに分け、それぞれ異なる回数で学生に見せるという実験を行いました。すると、見せた回数が多かった写

単純接触の原理
人と人との親密さは、接触の回数や頻度が多ければ多いほど増す。この効果を、提唱者であるザイオンスの名をとって**ザイオンス効果**ともいう。

真の人物ほど、学生が好意を持ったという結果が得られました。なんと、写真の人物のルックスの善し悪しとは無関係に、単純接触の原理が証明されたのです。

日本で多いとされる職場結婚も、この単純接触の原理が作用した結果といえます。職場で毎日のように顔を合わせているうちに、お互いに好意を寄せ合うようになっていくのです。ですから、あなたに仲良くなりたい人がいるなら、その人と会う機会を積極的につくるべきです。会えば会うほど、あなたとその人との距離は近いものになっていくでしょう。

ただ、単純接触の原理は相手が自分のことを好きでも嫌いでもない場合、あるいは多少の好意を持っている場合にしか効果がないようです。それどころか、相手が自分のことを嫌っている場合には、会えば会うほど嫌われるということもあります。

間接話法でほめるのも効果的

相手を直接ほめた場合、お世辞と受け取られて不快にさせてしまうこともある。そのような人には、間接話法でほめた方が効果的な場合もある。

直接話法

君、とってもカワイイね！

相手を直接ほめた場合、お世辞と受け取られて不快にさせてしまうこともある。そのような人には、間接話法でほめた方が効果的な場合もある。

関接話法

A野君が、B子ちゃんのことカワイイって言ってたよ

第三者から伝えられることで信頼されやすくなる。うまく相手に伝われば、好意の返報性が作用して相手からも好意が返ってくる。

声をかけやすい人とそうでない人がいる

話しかけやすい人は何が違う？

OH!! 東京の道 むずかしい デース
TOKYO MAP
チョット スミマセ…
はぁ!?
……
ナンデモ アリマ セーン
ジーザス!! ロボットみたいで びっくりしたネ
他の人 他の人…
チョット スミマセーン
何スか～?
ワーオ!! この人スゴく 話しかけ やすい デース♪

オープナー度が高い人は自己開示を引き出しやすい

あなたの周りにも、何となく話しかけやすい人とそうでない人がいるのではないでしょうか。あなたが知らない人からよく道を聞かれたり、お店でスタッフと間違われて声をかけられたりすることが多いなら、それは他の人からあなたが話しかけやすい人に見えているからかもしれません。

話しかけやすい人のことを**オープナー**と呼びます。つまり、缶切り（オープナー）で缶詰を開けるかのように、相手の心を開くことができる人です。心理学的に言えば、相手から**自己開示**を引き出しやすい人と言い換えることができます。オープナーの特徴としては、①表情が緊張していない、②口が軽く開いている、③視線が強すぎない、④姿勢がリラックスしている、⑤相手の話を否定せずに聞いてくれる、などがあげられます。逆に、話しかけにくい人のことは**クローザー**といいます。このような人は、顔や姿勢が緊張していて話しかけづらい印象を持っているのです。

もし、あなたが周囲の人からあまり話しかけられない、あるいは同僚や部下が心を開いてくれないように感じるなら、それはあなたのオープナー度が低いのが原因なのかもしれません。ここで解説したオープナーの条件を手がかりにして、自身の言動を再チェックしてみるとよいでしょう。

もちろん、話しかけやすいかそうでないかは、その人の性格が外向的か内向的かにもよります。しかし、こちらから**ノッキング**（あいさつや、こちらから先に話しかけたりする）を行うことで、相手も心の扉を開いて自然と話しかけやすい人になってくるものです。

自己開示
自分の意見や趣味、家族、仕事、性格、身体的特徴などについて、弱味も含めて正直に話をすること。

ノッキング
ノッキングで相手の心を開くには、相手が興味のある話、くいつきそうな話をすることが前提となる。このような場合には、「結論から先に申し上げますと……」などといきなり結論から切り出して相手の興味を引く**アンチ・クライマックス法**（P－2－参照）も有効。

第1章 他人のこころがわかる

親しい人とばかりつき合っているとダメになる?
人づき合いの上手と下手

カラオケ
居酒屋
メイド喫茶
年がら年中同じメンツ…
……
オレたちこのままでいいのか…!?

相手目線で上達するコミュニケーション・スキル

話しかけやすい人とそうでない人がいるように（前項参照）、世の中には**人づき合いの上手な人と下手な人**がいますね。

人づき合いのうまい人の多くは、自分の言いたいことを相手目線で考えてから言葉にしたり、相手が聞いて欲しそうなことを察知して質問するなど、**コミュニケーション・スキルの高い人**です。その結果「あの人はよくわかっている」と好感度や信頼感も高まり、相手の方も自分から動いてくれやすくなります。一方、つき合いベタと言われる人は相手の目線に立たずに自分の言いたいことだけを話し、それがうまくいかないと「自分は人づき合いが苦手だ」と勝手に思い込んでしまう人です。

自身のコミュニケーション・スキルを高めていくためにも、相手目線は大事です。ですから、親しい人とばかりつき合うことは、必ずしも自分のためになりません。誰でも**仲の良い人とだけ交流していた方が楽しいし、気持ちも楽**です。しかし、苦手な人を避けて親しい人とだけつき合っていては、新しい知り合いができずに交友関係が広がらないばかりか、コミュニケーション・スキルを高めることを妨《さまた》げてしまいます。キャッチボールでも、とりやすい球だけとるのではなくとりにくい球もとる練習をしなければ、技術は上達しませんよね。

親しくない人とのコミュニケーションでは、相手が自分とは異なるタイプの人間であるほど、相手の目線に立つことが重要になってきます。相手の気持ちや理解度を踏まえながら話すことで、より気持ちは伝わりやすくなり、コミュニケーション・スキルもおのずと向上していくのです。

仲の良い人
人は心地よい体験（**快体験**）をすると、また同じ相手に会った時にその体験がよみがえり、その人に好意を感じるようになる。結果として、その人と何度も交流するようになり、仲良しの関係が築かれる。**連合の原理**（P124）も参照。

相手の話を聞いてあげると、意外な効果が
苦手な人と仲良くなる方法

飲み会にて
うわ〜
よりによって苦手なM君の隣りか…
いや、イカン!! ここは自分から積極的に…
M君って趣味は何なの?
趣味? サーフィンだけど…
へ〜 どこの海でやるの?
いろいろ教えてよ!!
飲み会後
D之内って結構話わかるじゃん
今度一緒に海行こうぜ!!
やった…!!

会話の主導権を相手に預けるのが吉

誰にでも苦手な人はいるものですが、その人を避けてばかりいるわけにはいきません。人間関係を円滑なものにしていくためには、どんな相手とでも適度に仲良くやっていきたいものです。

苦手な人とてっとり早く仲良くなるためには、相手の話をよく聞いてあげるという方法があります。

具体的には、相手があなたのよく知らない話や興味のない話を振ってきた時にも、「へえ、そうなんですか」「それ、私も見ました」などとあいづちを打って、**話の主導権を相手に渡してあげる**ようにしましょう。あなたが聞き役に徹することで相手も話しやすくなり、「この人は私の話を真剣に聞いてくれている」「私に好意を持っているのかもしれない」と思うようになり、あなたにも好意を持つようになります。これも、**好意の返報性**《へんぽうせい》（P37参照）です。

たとえ、あなたの知らない話題や興味のない話題だったとしても、「いえ、知りません」などと答えるのはよくありません。相手はあなたが真剣に対応してくれないと思い、会話がそこで止まってしまいます。「それ、どういうものなんですか」といった具合に、相手の話に合わせるようにすれば、相手もうれしくなってさらに話を続けるでしょう。

また、相手よりも自分の方がその話題にくわしい場合などは、どうしても自分の持っている知識や情報をひけらかしたくなりますが、それでは相手のプライドを傷つけてしまうかもしれません。初めて聞くようなふりをして「それは知らなかったです」と答えるという手もあります。

相手と仲良くなるコツ
話をする時の視線も重要。相手の目を見ないで話したり、視線を動かしたりそらしたりするのは、相手に好意を持っていないことの表れ。仲良くなりたいと思っているなら、相手の目を見て話すことが肝心。

インターネットの匿名性が生むウェブ炎上

ネットで悪口を言いたくなる

ネット上の攻撃性を模倣するユーザー

読者のみなさんの中にも、ブログやツイッターをやっている人は多いことでしょう。インターネットの登場により、知らない相手とのコミュニケーションや情報発信が気軽にできるようになりました。

ただ、便利になった反面、中傷の書き込みによるウェブ炎上などのトラブルが後をたちません。インターネット上で他人の悪口を言ってしまう心理は、インターネットの特性によるものです。

最も大きな理由は、**インターネットは匿名の世界**だということ。現実の世界では立場があって意見が言いにくい人でも、ネットなら一個人としての意見を自由に述べることができます。その一方で、どんなに人の悪口を言っても自分の本名は伏せておけるので、相手から反撃される心配がありません。自分は安全な場所から書き込むわけですから、普段は言えないような怒りや憎しみを吐き出しやすくなるのです。

また、インターネット上には人を攻撃するような言葉があふれており、それらに影響を受けてしまう側面もあります。カナダの心理学者**バンデュラ**は、大人が人形に乱暴する様子を子供たちに見せたところ、その様子を見ていない子供たちよりも攻撃的になったという実験結果から、「誰かの攻撃行動が別の人の攻撃行動を促す」という理論を証明しています。ネット上の攻撃的な文章を見ているうちに、自分もそれを模倣して攻撃的になってしまうのです。

ウェブ炎上などのトラブルを避けるためにも、インターネット上でのコミュニケーションも現実世界と同じように相手を気づかう配慮が必要だといえるでしょう。

ウェブ炎上
ブログやツイッターなどに、匿名による中傷の書き込みが殺到する現象のこと。炎上によりサイトが閉鎖に追い込まれたり、近年は悪ふざけで撮った写真をネットに投稿したことがきっかけで炎上が発生するケースが頻発している。投稿者が損害賠償を請求される事件に発展するなど、物議をかもしている。

第1章 他人のこころがわかる

血液型診断、心理学的には？

血液型の話が好まれるのは理由がある

自分や他人をもっと知りたいという心理

あなたは、**血液型診断**を気にする方ですか。日本人は欧米人に比べて、血液型の話を非常に好むといわれています。確かに、性格診断や相性など血液型の話は、初対面の人との会話でも気軽にできる話題なので重宝するものです。

しかし、「A型の人は几帳面」「B型の人はマイペース」「O型の人は大ざっぱ」「AB型の人は天才型」といった、いわゆる血液型による性格診断は科学的根拠がある話ではありません。非科学的であることは証明済みなのに、どうして血液型の話が好まれるのでしょう。

それは、血液型の話は**自分自身のことを知るための参考になる**からです。人は、自分でも自分のことがよくわからなかったりします。そこで、血液型を参考にして「A型の私はこういう性格なのか」とか、「私はAB型の人と相性がいいのか」などと、自分のことをわかったような気になっているのです。

自分自身のことだけでなく、血液型の話は**他人の行動を予測するための参考にもなります**。その人の血液型を知ることで、「あの人はO型だから、特に気にしないだろう」と他人の行動を予測したり、「A型だから怒ったのか」と、他人の行動に納得することができます。

人は自分のこと、相手のことがよくわからない時、不安を感じます。血液型の話が好まれるのは、自分や他人の性格や心理を少しでも理解したいという気持ちの表れなのです。しかし、本当に自分や他人の心理を知りたいのなら、非科学的な血液型診断よりも心理学をおすすめします。

血液型診断
科学的には根拠がまったくない上、統計的にも有意な差は認められない。血液型だけでその人の性格を決めつけて偏見を持ったり、能力とはまったく関係ないのに血液型を採用や人事評価に活用するなど、血液型診断による嫌がらせ（**ブラッドタイプ・ハラスメント**）をしないように注意。

「ウソも方便」とは言うけれど……
人はなぜウソをつくのか？

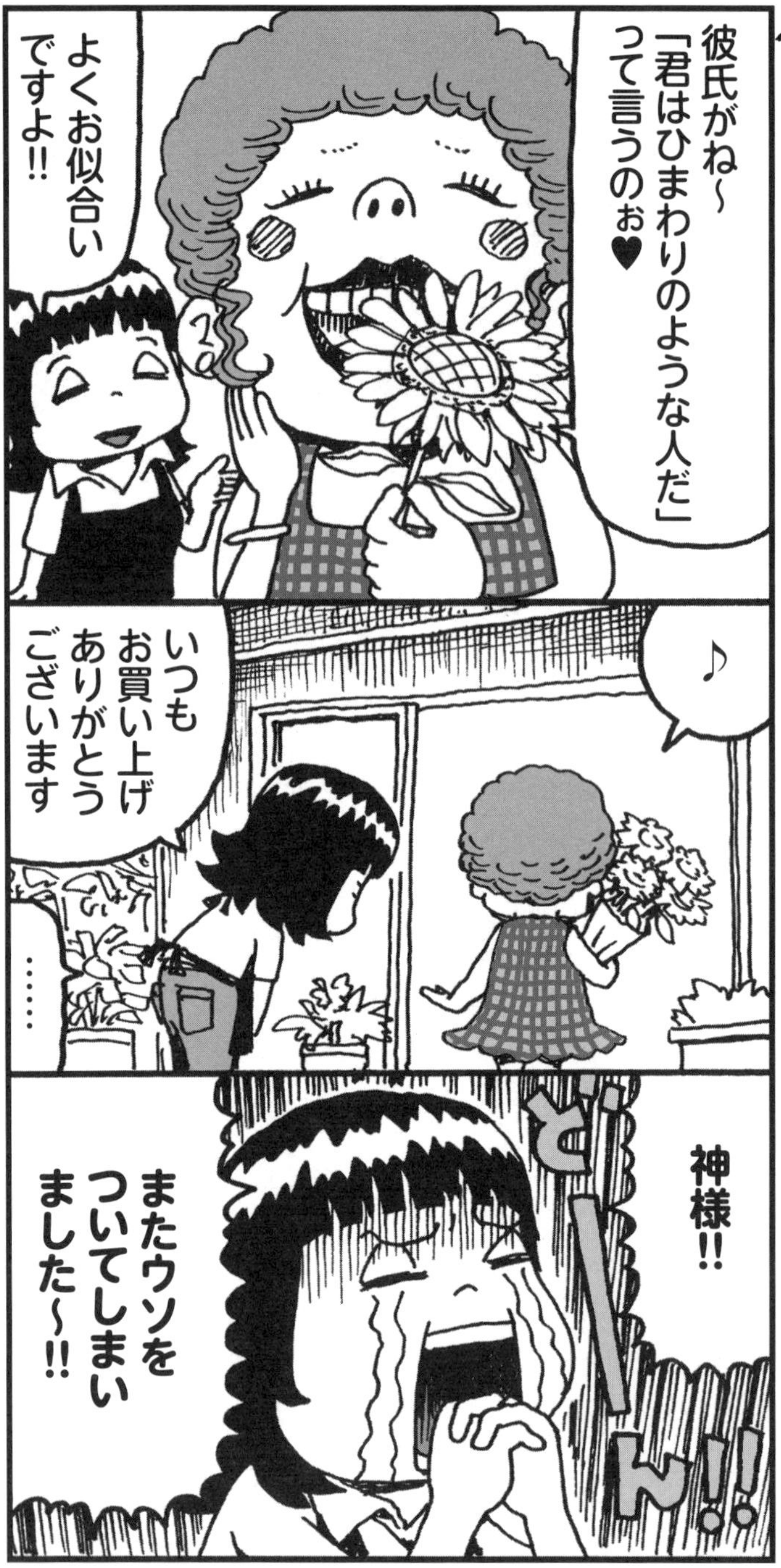
彼氏がね～
「君はひまわりのような人だ」
って言うのぉ♥
よくお似合いですよ!!
♪
いつもお買い上げありがとうございます
……
神様!!
またウソをついてしまいました～!!
どーん!!

子供がウソをつくのは健全な成長の証拠？

あなたも、小さいころから「ウソをついてはいけない」と教えられてきたはずです。にもかかわらず、人はいつの間にかウソをつくようになります。

ドイツの心理学者**シュルテン**は、ウソを「だますことによって、ある目的を達成しようとする意識的な虚偽の発言」と定義。ウソをつく人の特徴として、①虚偽の意識がある、②相手をだます意図がある、③だます目的がはっきりしている、④罪や罰を逃れたり、自己防衛しようとする目的がある、の4つをあげています。

しかし、詐欺や偽証など明確に人をあざむくウソばかりではなく、人間関係を円滑にするためのウソもあります。例えば、誘いをうまく断るために「今日は先約がありますので」と虚偽の理由をでっちあげるような場合がそうです。このようなウソは、人間関係に波風を立てないためには必要となります。ですから、単純にウソは悪いというわけではなく、その時の状況次第で善し悪しが変わってくるものといえます。

同じように、子供もウソをつきます。ウソは子供にとって、自分の主張を通すための手段のひとつであり、ウソのつき方やウソに対する理解度も、成長の段階に応じて社会に適応した形に変化していきます。

アメリカの心理学者**ホイト**は、「子供が初めて親にウソをついた時、子供は絶対だった親の束縛から自由になれる」と述べています。つまり、**ウソは子供が健全な社会的発達をとげている証拠**なのです。「ウソをつくのは絶対にダメ」と頭ごなしに叱るのでは、子供の健全な自我の成長を阻害してしまいかねません。

ウソ
ウソは次のような12のタイプに分類される。
①**予防線**…人との約束を何かの理由をつけて断ったりする
②**合理化**…失敗した時に言い訳する
③**その場逃れ**…一時しのぎのためにつく
④**利害**…自分が金銭的に得をするようにもっていく
⑤**甘え**…自分に対する理解を得るためのウソ
⑥**罪隠し**…自分がした悪いことを隠すためにつく
⑦**能力・経歴**…相手より優位に立つために虚偽の自己紹介をする
⑧**見栄**…虚栄心から自分を粉飾する
⑨**思いやり**…相手を傷つけないためにつく
⑩**引っかけ**…相手をからかう
⑪**勘違い**…自分の知識不足などから結果としてしまう
⑫**約束破り**…意図的ではないが、約束を守れなかった結果ウソになる

人はどのように相手をだますのか？

サギ師が使うテクニック

実は昨日素敵な出会いがあったの♥
ポッ
マジ!?
どんな人？どんな人？
年商50億円のIT企業を経営
愛車はポルシェフェラーリランボルギーニ
アラブの王室の血を引く高貴な家柄で
趣味は乗馬にフェンシング
彼ったら財布忘れたって言うから
もードジなんだから
1万円貸しちゃった♪
それ絶対だまされてるって!!

クヒオ大佐の正体はれっきとした日本人！

ジョナサン・エリザベス・クヒオ大佐という人物をご存知でしょうか。父はハワイのカメハメハ大王の末裔《まつえい》で、母はイギリスのエリザベス女王の双子の妹という高貴な血筋。しかも6歳でワシントン大学を卒業し、10歳でアメリカ海軍士官学校の入学資格を得たという神童で、高い鼻に金髪、純白の軍服を着こなして高級外車ボルボを乗り回す誰もがうらやむ超エリート軍人……という触れ込みでした。

実はこのクヒオ大佐、北海道生まれのれっきとした日本人でした。胴長で短足、髪を金髪に染めて鼻は整形し、軍服は横須賀の古着屋で買ったものでした。「私と結婚すれば、軍から数千万円の結納金が出る」「イギリス王室からも数億円のお祝い金が出る」などと言って女性に近づき、首尾よくお金を手に入れると「戦地へ赴任することになった。もし私が戦死しても、軍から多額の功労金が支給される」と言い残して姿を消すのです。

この手口で、ある女性から4000万円もの大金を巻き上げたのをはじめとして、1970年代から90年代にかけて数人の女性から合計1億円以上をだまし取りました。そう、このクヒオ大佐、とんでもない**結婚サギ師**だったのです。

どう見ても高貴な外国人とは似ても似つかないこの男に、どうして何人もの女性がだまされてしまったのでしょう。クヒオ大佐はジェット機のパイロットで、イギリス王室の一族を自称していました。これらの肩書きによって、だまされた女性たちにはクヒオ大佐が信頼できる、立派な、将来性のある人物に見えていたのです。

クヒオ大佐
2009年には堺雅人主演で、その名もズバリ『クヒオ大佐』というタイトルで映画化された。そのためフィクションのようにも思えるが、実在した結婚サギ師である。

サギ師が使うテクニックを心理学で分析

このように、その人に際立って良い特徴があると、その人の他の特性もすべて良く評価してしまうことを、心理学では**ハロー効果**（P101参照）といいます。結婚サギ師はパイロットのほか医師や弁護士、会社経営者など高収入で社会的地位の高い肩書きをよく使いますが、これらはハロー効果を高める小道具といえます。

また心理学の立場で言うなら、サギ師の条件としては**自己開示**（P43参照）の能力が高いことがあげられます。金銭を銀行口座に振り込むように電話などで要求してくる**振り込め詐欺**の例で言うなら、被害者の息子や孫になりすまして「会社のお金をなくした」などという話を、本当に困っている様子を装ってたくみに相手に信じ込ませ、お金をだまし取るのです。

こうしたことはサギ師たち「だます側」の心理ですが、詐欺の被害者である「だまされる側」の心理も影響しています。

例えば、「結婚したい」「お金がほしい」といった社会的欲求があるから、人はだまされるというわけではありません。振り込め詐欺で狙われやすいのは、独り暮らしのお年寄りだといいます。一般的に、お年寄りはこうした社会的欲求はそれほど高くありません。

振り込め詐欺にお年寄りがだまされてしまうのは、その人の**親和欲求**が高いからだと考えられます。離れて暮らしている息子から電話がかかってくればそれだけでうれしいもの。そんな時に「お金を振り込んでほしい」と言われたたら、ついつい信用してしまいます。振り込め詐欺の犯人は、そういうお年寄りのさびしさや人恋しさにつ

振り込め詐欺
いわゆる「オレオレ詐欺」や、インターネットの有料サイトの架空請求、還付金詐欺などを総称して「**振り込め詐欺**」と呼ぶ。この振り込め詐欺を含む、面識のない不特定の者に対して電話などの通信手段を用い、預貯金口座への振り込みなどの方法によって現金などをだまし取るサギのことを「**特殊詐欺**」という。2013年5月に警視庁が発表した「母さん助けて詐欺」という新名称が併用されているが、名称が実態にそぐわないなどの理由で使用していない県警もある。

親和欲求
人間の基本的欲求のうち、愛する人が欲しい、自分が所属する集団に受け入れてもらいたいといった欲求のこと。P163を参照。

認知的不協和理論とは?

心の中に矛盾が生じると、それを解消しようとする心理がはたらく。いったん話を信じてしまうと、自分の中で矛盾を解消してつじつまを合わせようとする。

●青年実業家
●高身長でイケメン
●高収入
この人と結婚したい！
あの話、どうもウソくさいだまされているのかも…
あの人がウソをついているはずはないわ！

一般的な考え方に矛盾しない（協和状態）

協和状態と矛盾するため（不協和状態）、自分の中で矛盾を解消しようとする

け込むのです。

また、人はいったん相手を信じてしまうと、後になって矛盾が生じても自分の中でつじつまを合わせてしまう心理がはたらきます。これは**認知的不協和理論**といいます。結婚詐欺の例でいうと、高収入で社会的地位も高い人との結婚話を持ちかけられた女性が、後になってこの話があやしいことに気づいても「自分はだまされているのでは？」とは考えず、「あの人がウソをついているはずがない」と考えてしまいます。後から入ってきた矛盾する情報を修正し、自分を正当化してしまうのです。

詐欺の被害にあわないためには、その手口やサギ師が使うテクニックを把握しておくこともちろん大事ですが、あなたの心の中にも詐欺にひっかかってしまう落とし穴があることを忘れないでください。うますぎる話にはくれぐれもご注意を。

認知的不協和理論
アメリカの心理学者**フェスティンガー**が提唱した理論。一例として、ある喫煙者が「たばこは肺がんの原因となる」という話を聞いても簡単にたばこをやめることができないのは、「たばこを吸っていても長生きの人はいる」「たばこよりも交通事故の方が死亡率は高い」などと考えることで喫煙を正当化し、自分の中に生じた矛盾（不協和状態）を緩和しようとするため。

動作に表れるウソのサインを見逃すな！

ウソを見破るテクニック

…彼女？ いるよ もちろん!!
そわ そわ
もうつきあって 3年になるかな
デートだって してるさ
がしがし
さわさわ
映画とか 遊園地とか…
そろそろ結婚も 考えてるよ
パチパチ
ぐっ!!
今度 彼女の両親に 会いに行くんだ
100パーセント 作り話だろ アレ…
……
ウソつく 才能ゼロね…

ウソは言葉ではなく身体にこそ表れる

ウソは言葉の中に表れやすいと思っている人が多いかもしれません。ところが実際には、**ウソは態度や身振り、しぐさなど身体に変化が表れる**ことが多いようです。

ウソをつく人は、それを見抜かれないように言葉や表情には細心の注意を払います。しかし、身体の変化には相手が関心を持たないと考えて、動作に気を配らなくなります。その結果、ウソを隠そうとごまかそうとしても、無意識のうちに態度に表れてしまうのです。

その変化をキャッチできれば、相手がウソをついていることを見抜くことができます。ここでは、身振りやしぐさなどから「この人はウソをついている」と見破る方法を紹介しましょう。

①手の動きを抑えようとする

ウソをついている時は、腕組みをしていたりポケットに手を突っ込んだりするなど、極力手の動きを抑えようとします。これは、「手の動きを通じて、相手に自分の本心を見抜かれてしまうのではないか」という恐れがあるためです。

手を握っていたり、机の下に手を隠していたりする場合も同様です。

②しきりに顔にさわる

ウソをつく時には、鼻や口など顔のあちこちを手で触れる動作が増えます。これは、口を隠してウソをカモフラージュしようという心理の表れです。

髪の毛にさわる、頬をこする、あごにさわる、耳たぶを引っぱる、眉毛を指でかくといった動作も、ウソをついている時に特有のしぐさといえます。

ウソは態度や身振り、しぐさなど身体に変化が表れる

精神分析学の創始者である**フロイト**（P195参照）の言葉に「見る目と聞く耳のある者なら、生きとし生ける者に秘密を守ることはできないことをよく知っているだろう。口が秘密を守って閉じていても、指でおしゃべりをする。毛穴のひとつひとつから秘密がにじみ出てくるのだ」というものがある。人は本音をごまかそうとしても、それが体のどこかに表現されてしまうものなのだ。

③姿勢をひっきりなしに変える

もじもじと頻繁に姿勢を変えたり、そわそわしていたり、体全体がせわしなく動いているような時は、ウソをついている可能性が高いといえます。

ウソをついているために「その場から逃げ出したい」という気持ちを抑えようとしているのかもしれません。

④早く話を終わらせようとする

人はウソをつかなくてはならない状況に置かれると、矢継ぎ早に話をしたり、てっとり早く話を終わらせようとします。

ウソをつくことに気を取られ、話にも柔軟性がなくなり、返事も短くなります。

⑤素早く応答する

話をしている時に、不自然に素早く応答するのも、ウソをついているサインかもしれません。

気まずい沈黙が続くと「ウソが相手にばれるのではないか」と不安になります。会話が途切れないようにするために応答が速くなるのです。

⑥無表情になる

ウソをついている時は、注意がおおむね過去のことに向けられます。過去の出来事を思い出したりして表情が硬くなり、笑いが少なくなります。

返事も声に出さず、うなずくだけで返すことが多くなります。

⑦しきりにまばたきをする

ウソをつく時は一種の緊張状態になっているので、無意識にまばたきをする回数が多くなります。

電話で話すとウソはばれにくい?

それでは、電話で相手と話している時にウソをつくのはどうだろう。面と向かって話す時と違って、自分の動作を相手に見られる心配がないため、ウソがばれにくいように思える。しかし実際は逆で、電話で話す時は相手の顔が見えず、会話に集中しなければならないため、話の矛盾点や間違いに気づかれやすくなる。

こんな行動もウソのサイン

プロの精神分析学者と同じようにはいかないけど、ウソかそうでないかを把握するための目安にしてね

話がそっけない

短く、そっけなく答えることで、相手との話を続けようとしない。

不自然に聞き役に徹する

しきりにうなづいたり、やたらに「へえ」「それで？」とあいづちを打ったりする。

説明によどみがない

「帰りが遅かったね」と言われて、遅れた理由をよどみなく説明するのは、あらかじめウソの説明を用意していたのかも。特に、聞いてもいないのに説明をしだしたら要注意。

落ち着かない

新聞を読みながら貧乏ゆすりをしていたり、頻繁に足を組み替えたりする。

⑧相手を凝視する

異性、特に恋人にウソをつく時に多いようです。視線には「相手に好意を伝える」という意味があります。恋人にウソがばれないように、一生懸命にごまかそうとして視線をあわせるのです。恋人に「ウソだと思うなら、私の目を見てよ」と言われたら、ウソをついていると疑った方がいいかもしれません。

とりわけ、女性が男性に対してウソをつく時に多くみられるケースです。

⑨相手の視線を避ける

女性の場合とは逆に、男性は女性に対してウソをついている時は、相手と目を合わさないようにし、視線を避けがちになる傾向があります。これは、口ではウソを言っていても、目まではウソをつき通す自信がないからです。

大富豪が教える
ウソつきの目

わずか137ドルの資本金で設立した映像プロダクションからスタートし、数年でロックフェラー・センターにオフィスを構える大富豪となったアメリカの**デルマー**は、自らの経験から「顧客がこんな動作をしたら、口では納得していても本当は『ノー』の気持ちを表している」と自著で述べている。

①こちらが話している時にじっと目を閉じていたり、まばたきをしたりする。

②まぶたを細めたり、瞳を縮小させる。

③（特にロングヘアの女性は）前髪を利用して目を隠そうとする。

④必要もないのにメガネをかける。

第1章 他人のこころがわかる

似た者どうしのカップルが多いのはなぜ？
人は分相応の相手を選ぶ？

似た者どうしカップル①
似た者どうしカップル②
似た者どうしカップル③
う～ん…
最後のはちょっと違う気がする…

似ている人に持つ愛情と違う人に持つ愛情

街行くカップルを見てみると、中には「美女と野獣」のようなカップルもいますが、そのように容姿のかけ離れたカップルは少なく、おおむね美男には美女、あるいはどちらもほどほどというカップルが多いことに気づきます。

このように、容姿がつり合いのとれた者どうしが結びついてカップルになるのは、実は心理学で説明できます。アメリカの心理学者**バーシャイド**らは、「人は、自分に似た人をパートナーに選ぶ傾向がある」という仮説を唱えました。これを**マッチング仮説**といいます。

自分より相手の方が魅力のある人だと、交際を申し込んでも拒否されるだろうという恐れの心理がはたらきます。逆に、自分より魅力のない人では「自分のプライドが許さない」と感じます。結局、自分に見合った相手を無意識のうちに選んでしまうのです。こうして、似た者どうしのカップルが成立するというわけです。

また、出会ったばかりの時はお互いのことがよくわからないため、相手に自分と似たところがあることを見つけて親近感を得ることで、恋愛が進行することもあります。人は、自分と似た意見や価値観を持っている人に好意を持つからです（**類似性**・P35参照）。

これとは逆に、さらに恋愛が進んで結婚を考えるようになると、自分にない部分を相手に求めるようになります（**相補性**・P37参照）。大ざっぱな性格の人が、パートナーにはそれをフォローできる几帳面でしっかりした人を選んだりするのは、そういう理由からです。

マッチング仮説
アメリカの心理学者**キースラー**たちは、次のような実験でこの仮説を立証した。
①知能テストと称して男子大学生を集めて2つのグループに分けた。
②一方のグループには実験者がテスト結果に満足しているという印象を与えた。
③もう一方のグループには結果が悪く立腹しているという印象を与えた。
④テスト終了後、学生たちをサクラの女性と引き合わせた。
この女性は服装やメイクを変えて、美人になったり不美人になったりする。すると、前者のグループは女性が美人に見える時に、後者のグループは不美人の時に、デートを申し込むなどのアプローチ行動を多くとった。

落ち込んでいる時が告白のチャンス？
失恋の後は口説きやすい

彼女いるんだ
ゴメン
ガーン!!!
も～
信じらんない!!
この私が
フラれるなんて!!
…まぁ
そんなことも
あるさ
元気出せよ
お前らしくないぞ
A野先輩が
ビミョーに男前に
見える…
私、相当
弱ってるわね…
おーい
全部聞こえ
てるぞー

自己評価が低い時は相手が魅力的に見える

好きな異性に想いを伝えるタイミングはなかなか難しいものですね。相手があなたのことを憎からず思っていたとしても、告白のタイミングを間違えてしまうと、恋愛は成就しません。成功率が高い告白のタイミングというものはあるのでしょうか。

心理学では**自尊理論**といって、自分に対する評価、つまり**自己評価が高い時には他者からの好意を受け入れにくく、逆に自己評価が低い時には他者からの好意を受け入れやすい**とされています。つまり、告白するなら相手の自己評価が低い時の方が成功しやすいことになります。

失恋して落ち込んでいる時に別の異性からなぐさめられた時、その人に好意を持つようになることが多いのも、失恋で自信を失って自己評価が低くなっているからです。そのような時は相手への要求のハードルも低くなっているので、それほど高望みもしなくなります。普段は気にも留めない人でも魅力のある人に見え、その人からの求愛を喜んで受け入れやすくなるのです。

また、自己評価が低い時は不安を感じやすくなるため、周囲から支援を受けたいと思っている状態になります。いわば、第三者からの好意や愛情を求めているのです。こういう時に好意を寄せられると、素直に感謝したり、自然に恋愛感情を抱くようになるわけです。

あなたに意中の人がいるのなら、その人が失恋した時や仕事で失敗した時など、自己評価が低くなっている時がチャンスです。絶好のタイミングでアプローチすれば、相手にはあなたが魅力的な異性に感じられるはずです。

自尊理論
アメリカの心理学者**ウォルスター**（後にハットフィールドと改名）が、次のような実験で証明した。①まず、女子学生に部屋へ入ってもらう。②その部屋にイケメンの男子学生がやってきて、彼女と雑談したりデートに誘ったりする。③そこへ実験者が登場し、第三者による女子学生の評価を読み上げる（これによって女子学生は自己評価を高められたり、低められたりする）。
実験後、自己評価を高められた女子学生よりも、低められた女子学生の方が男子学生に好意を持ちやすいことがわかった。

第1章 他人のこころがわかる

無意識のうちにはたらく女のカン
女性は浮気に気づきやすい？

単身赴任中の夫の部屋を訪れたN子さん
!!
この部屋──
何かがおかしい!!
ピ〜ン!!
女のカン。
あら？
くんくん
なんだか香水の香りがしない？
ドキーッ!!!
やはり目を合わせない…
そうかな…？
オレはわかんないケド…
浮気確定ね!! どーしてくれよう！

その正体は安定を求める女性の心理

昔は「**浮気**は男の甲斐性《かいしょう》」などと言ったものですが、近年は女性の浮気も増えてきているというデータもあります。

浮気などの大きなウソはもちろんですが、小さなウソでも、女性の方がウソを見破る能力に長けているといわれています。人は言葉以外にも、表情や身体の動きなどでコミュニケーションを行っています。これらは**非言語コミュニケーション**（**ノンバーバル・コミュニケーション**）と呼ばれています。人は言語だけでなく、非言語コミュニケーションによっても相手の感情や心理状態を判断しているのです。

そして、アメリカの心理学者**ローゼンタール**が実施したテストによれば、相手の表情や動作などの非言語コミュニケーションから感情や心理状態を読み取る能力は、一般的に男性よりも女性の方が優れていることが判明しています。

その理由はいくつか考えられますが、女性は男性に比べて相対的に対人関係が受け身になりやすいため、相手の非言語コミュニケーションにもそれだけ敏感になりやすいことがひとつの理由として考えられます。また、古来から女性は基本的に育児を担当するため、言葉を話せない赤ちゃんや幼児を育てるためには微妙な表情の変化や身体の動作などを敏感に感じ取り、適切に対処していく必要があるということも、大きな理由のひとつといえるでしょう。

一方、男性は浮気を疑われていることに気づかない、鈍感な人が多いようです。パートナーから浮気を疑われた時は、確かな証拠をすでに押さえられていると覚悟した方がいいでしょう。

女性の浮気
あるアンケート結果によれば、未婚女性の浮気率は60％以上。また、高等教育を受けた女性ほど浮気した経験が多く、結婚前にセックスの経験が少ない女性ほど結婚後に浮気しやすい、というデータもあるという。

非言語コミュニケーション
言葉や文字、印刷物などの形で言語を使わず、ボディタッチや態度、視線、表情などでコミュニケーションをとること。

スポーツ観戦や遊園地は恋が実りやすい
スリルの共有が恋に変わる

お化け屋敷にて
ゾ〜ン
ビィ〜〜
イヤ〜ッ!!
ゾ…
……!!
ごめんなさい!!
私ったらつい…
いや
こちらこそ…
…という
なれそめの
新郎新婦!!
……

熱しやすく冷めやすい 錯誤帰属による恋

スポーツの後のように、心臓がドキドキして生理的に興奮している時に異性に接すると、その人に恋をしてしまうという話があります。スポーツ観戦をしている時、知らない人と一緒にひいきのチームを応援しているうちに、たまたま隣り合わせた異性と仲良くなったという話も聞きます。

アメリカの心理学者**シャクター**が提唱した**情動の二要因理論**によれば、**人の感情は生理的な興奮と、それを説明できる状況の2つの要因によって決定される**のだといいます。つまり、スポーツやスポーツ観戦で胸の動悸《どうき》が激しくなっている時にたまたま異性と居合わせた場合、その異性に対する胸の高鳴りと勘違いして、その人に恋をしてしまった気になってしまうのです。「胸がドキドキする（＝生理的興奮）のは、素敵な人がいた（＝状況）からだ」と、自分の感情に説明をつけて、この人が好きだという感情を決定してしまうのです。

心理学では、このような現象を**錯誤帰属**《さくごきぞく》といいます。ですから、あなたが意中の人との初デートにこぎつけたなら、絶叫マシンやお化け屋敷のある遊園地、映画を観に行くならアクション映画やホラー映画などがおすすめです。ドキドキする機会が多い分、恋が実るチャンスも多くなるというわけです。

しかし、この恋は一時的な興奮状態によるものです。そのため、錯誤帰属で恋に落ちた男女は、興奮が冷めると同時に恋も冷めてしまう場合も多いようです。青年期の恋愛が一目ぼれや盲目な愛、「恋に恋する」といった形になりやすいのも、錯誤帰属によるものと考えることができます。

錯誤帰属

カナダの心理学者**アロン**と**ダットン**は、**つり橋実験**によって錯誤帰属の正しさを証明した。

①峡谷にかかるつり橋の上に立たせた女子学生を聞き手として、橋を渡ってくる若い男性にアンケートを実施。

②終了後、女子学生が「結果を知りたければ連絡をください」と言って電話番号を教えると、ほとんどの男性から電話がかかってきた。

③一方、揺れのない固定された橋の上で同様のアンケートを行ったところ、電話はほとんどかかってこなかった。

男性は揺れているつり橋の上での興奮状態を、女子学生への恋愛感情と勘違いしたわけだ。

浮気の理由は男女で違う？

浮気をするイケナイ人たちの心理を探る

ちょっと
このYシャツの口紅
どーよーことっ!?
女ね!?
女でしょ!!
お前こそ
このメール
何だよ!?
「今度いつ会える？」
って…男だろコレ!!
…………
し〜ん…
今回は
お互い…
目をつぶり
ましょうか…
利害の一致。

男はオスとしての本能 女は相手への不満から

浮気は決して許されるものではなく、しないに越したことはありません。浮気が発覚した場合、恋愛関係や結婚生活が破たんしてしまうだけではなく、地位や名誉を失ったり、裁判に発展して多額の慰謝料を支払うはめになったり、それ相応の社会的・経済的制裁を受けることになります。しかし、そうなることがわかっていても浮気をしてしまう人が少なからずいます。

浮気をする理由は、男性と女性では違いがあります。男性の場合は、できるだけ多くのメスと交尾をして（多くの女性とセックスをして）「子孫を残す」というオスとしての本能によるもの、つまり**性欲を満たすため**と考えられます。一方、女性の場合は**パートナーに心も体も満足していないから**、好きになった別の男性と浮気するというケースが多いようです。

もちろん、すべての人が浮気をするわけではなく、浮気に走りやすいタイプの人とそうではない人がいるようです。自分は特別な存在なので浮気をしても許されると考えてしまう**ナルシシズム**（P１４７参照）の強い人や、すぐ別の異性に興味を持ってしまう飽きっぽい人などが、浮気をしやすい人といえるでしょう。

また、自分のパートナーに浮気されやすい人がいることも確かです。情緒が不安定だったり暴力をふるったりするなど一緒にいるのが苦痛な人、性格が穏やかで相手を束縛しないため「自分が浮気をしてもどうせバレないだろう」と相手に甘く見られてしまう人などがそうです。

これらのことは浮気の理由とは異なり、男女ともに共通であるとされています。

男性の浮気
男性の場合、妻や恋人となる女性とセックスしてしまうと「この女は俺のものだ」という征服欲が満たされてしまい、次の未知なる女性を探し出して征服したくなるという心理も存在すると考えられる。

反対されればされるほど、恋は燃え上がる
障害があると深まる恋愛

親に恋愛を反対されたロミオとジュリエットは……

あなたは、恋人との関係を両親や友人たちに反対されたり、恋人の悪口を言われたりした経験はありませんか。「禁断の恋」などと言うと大げさかもしれませんが、恋愛には大なり小なり、何らかの障害がつきまとうものです。

そのような時、あなたはその恋をあきらめましたか。むしろ、親や友人に反発してかえって相手との恋愛感情が深まったのではないでしょうか。逆に言えば、障害があるからこそ、恋の炎もいっそう大きく燃え上がるといえるのかもしれません。

障害がある恋愛の方が、より恋人どうしを燃え上がらせる現象のことを、シェイクスピアの有名な作品の名をとって**ロミオとジュリエット効果**といいます。モンタギュー家の一人息子ロミオとキャピュレット家の一人娘ジュリエットの許されない恋は悲劇的な結末を迎えますが、両家が激しく反目し合っていたことで、二人の恋愛感情は激しく燃え上がりました。

これは、禁止されたことほどやってみたくなる心理に似ています。「私のアルバムを勝手に見ないでね」なんて言われると、かえって見たくなってしまいますよね。人は、自由や自分の意思を他者から脅《おびや》かされた時、それに反発して言われたこととは逆の態度をとりがちです。この心理を**心理的リアクタンス**といいます。

結婚は、自分だけでなく相手やその家族の人生も左右する重要なイベントです。結婚相手を選ぶ時は、ロミオとジュリエット効果や心理的リアクタンスに惑わされずに、一歩引いた視線で冷静に相手のことを観察する態度も必要ということですね。

ロミオとジュリエット効果
アメリカの心理学者**ドリスコル**が、140組の恋人や夫婦を対象に恋愛感情の強さを規定する要因を調べたところ、親が妨害した（している）と感じているカップルほどお互いの恋愛感情が強いという相関関係がみられた。

COLUMN

01

なぜ女性の話はたわいない？
おしゃべりの男女差

「女三人寄ればかしましい」ということわざがあります。「女」という字を3つ合わせると、うるさいという意味の「姦《かしま》しい」になることから、女性はおしゃべりだから３人も集まるとやかましいということです。女性はやかましいほどしゃべるのに、その内容はたわいのないものだとよく言われます。それはなぜなのでしょう。

一般的に、コミュニケーションには２通りのはたらきがあります。ひとつは特定の目標を達成するための手段や方法としてのコミュニケーションで、もうひとつは自分の気持ちや感情を表すことを目的としたコミュニケーションです。心理学では、前者は道具的コミュニケーション、後者は表出的コミュニケーションと呼ばれます。

男女が電話でおしゃべりしているシーンを思い浮かべてください。男性は、電話を「必要なことを相手に伝える道具」としてとらえています。一方、女性は電話を「お互いの感情を通い合わせるもの（道具ではない何か）」と認識しているのです。

この２つのコミュニケーションが複雑にからみ合って、日常のコミュニケーションは成り立っています。しかし、女性のおしゃべりはもっぱら表出的コミュニケーションで構成されています。男性が女性のおしゃべりをたわいのないものと感じるのは、目標達成のための情報交換という側面が、女性のおしゃべりからはあまり感じられないからです。

男性は、奥さんや彼女、仲の良い女性と電話するとき「もう用事は済んだのだから電話を切ってもいいだろう」などと考えずに、「この電話であなたとつながっていたい」という女性の意を汲んであげてくださいね。

第2章
集団心理がわかる

人は社会の中で生きていきます。
社会とは多くの人が集まって形成されるもの。心理学がわかれば、
集団の中でどのように行動し、集団とどのように向き合えばいいのかがわかります。

第2章
集団心理がわかる

「孤独を愛する」って人もいるけれど
人は孤独に耐えられる？

オレは
A野太
都会の孤独を
愛する男
深煎りの
ブラックコーヒーと
ハードボイルド
小説が
オレの友達さ
The Long Goodbye
今日も濃厚で
ゆったりとした
ひとりの時間が…
……
B子ちゃん
夕飯
一緒に
食べようよォ～
友達も
呼んでさ!!
……
毎日
電話してくるの
やめて下さいっ!!

人工的に孤独感をつくる実験を行った結果……

人間の祖先は集団生活をしていたため、もともと人は孤独を恐れるものです。しかし、現代の世の中ではたとえどんなに人ごみの中にいてもお互いに他人どうしで、孤独な存在であるといえます。街中でアイポッドなどで音楽を聴くのは、群集の中の孤独感をいやすためかもしれませんね。

ところで、人はどこまで孤独に耐えることができるのでしょうか。アメリカの脳科学者**リリー**は、次のような実験でそれを確かめました。被験者を防音装置のついた小部屋に入れ、半透明の保護メガネをかけさせてなるべく視界から得られる刺激をさえぎり、さらに手には木綿の手袋、袖口には長い筒をつけさせて何も触《さわ》れないようにし、頭の下には空気ゴム枕を置いて外部からの刺激も制限しました。この**感覚遮断**の状態で、食事と排泄の時以外はベッドに24時間横たわるよう被験者に命じました。

すると、この孤独な実験に3日以上耐えられた被験者はほとんどいなかったのです。最初の8時間程度はなんとか持ちこたえられても、それ以上の時間が経過すると独りごとを言ったりイライラしたりして、さらに時間が経過すると幻覚が見えたり、手が震えるようになったといいます。実験終了後に簡単な作業をやらせても集中力がなくなって間違いが多くなり、被験者がもとの正常な状態に戻るには実験終了から3日以上の時間を必要としました。

この実験から、人は感覚遮断による孤独感にさいなまれた状態にはとても耐えられないこと、また人の心が正常にはたらくためには、常に外からの新しい刺激が必要であることがわかります。

感覚遮断
高速バスやトラックなどの長距離運転手やレーダーの監視員は、同じような刺激だけが長時間続く環境なので、いわば軽い感覚遮断の状態に置かれている。そのため、実際には存在しないものが見えたり、思わぬ事故を起こしてしまったりする。物音ひとつしない個室にいる時に不意に強烈な孤独感に襲われたりするのも、感覚遮断による孤独感が原因であると考えられる。

みんなでやれば本当に怖くない?
集団では言えない反対意見

この春の新製品は…
納豆味アイスで行こうと思います!!
いやいやいやいや納豆はないでしょ!!
絶対マズいって!!
賛成
賛成
賛成
賛成
!!
僕のセンスがずれてるのかも…
さ…
賛成で…

集団の結束の固さを「強さ」と混同してしまう

かつて「赤信号、みんなで渡れば怖くない」というギャグが流行しました。これは必ずしもギャグというわけではなく、実際に人は集団の中にいると、ある種の心理行動に陥ってしまいます。集団には、その行動を左右する**集団思考**がはたらくのです。

アメリカの社会心理学者**ジャニス**は、集団思考で最も大きくはたらく力を**不敗幻想**と呼びました。集団を構成しているメンバーが強い団結力で結ばれ、それぞれのメンバーが集団のために必死に働いていると感じているような場合、そのメンバーは集団の大きさや結束の強さを「強さ」と錯覚してしまいます。そうすると、楽観的な気分に支配されて「どんな障害でも乗り越えることができる」と思い込んでしまうようになるのです。

この不敗幻想に支配された集団の中では、集団の結束を乱すような反対意見は言えなくなります。常に全員一致が原則となり、何らかの疑問を持っていても発言を控えるようになります。これは**満場一致の幻想**と呼ばれています。

こういった集団思考にとらわれると、普段は冷静で慎重な判断ができる人でも、平時では考えられない行動をとったりします。例えば、集団の中の一人が大胆な行動をした時、それに問題があることを特に気にもせずに同調したり、より過激な行動をとったりすることがあります。また、自分の考えをとりあえず言ってみるものの、「本当にそれは正しいのだろうか」「間違っているのではないか」という不安や心配にかられて冷静さを欠き、間違った判断をしてしまうこともあります。

ジャニス
（1918〜1990）
集団思考の研究で知られる。日本の真珠湾攻撃を許したアメリカ軍首脳、朝鮮戦争でのトルーマン政権、ベトナム戦争でのジョンソン政権、ウォーターゲート事件でのニクソン政権などから、誤った政策決定につながる集団の心理を調査した。

ありえない行動をさせてしまう集団心理

　また、集団思考の結果として引き起こされる最悪のケースとして考えられるのが、暴動や集団リンチなどです。これらに加わった人を見ると、とりわけ凶暴でも残忍でもなく、普通の人たちであることに気づきます。ごく普通の人が、普段は考えもしないような行動を起こしてしまうのも、集団思考のなせるわざです。

　社会生活におけるさまざまな欲求不満が積み重なった結果、集団行動として不満の解消が誘発されるということが考えられます（**欲求不満説**）。また、見知らぬ人どうしの集団では一人ひとりの責任感が薄れてしまい、無責任で道徳に反した行動が引き起こされがちです。「自分だけじゃない。他人も同じように感じ、行動している」という安心感を覚えた結果、「みんなやってるから問題ない」と、その行為に正当性を感じるようになるのです。これは**普遍感**と呼ばれています。そして、もともと人間には知らず知らずのうちに多数の意見にならう傾向があります。人は、「多数派の価値観に合わせておけば間違いない」という心理が自然にはたらくようです。これは**数の圧力**と呼ばれます。

　さらに、集団の中で憎悪や敵意、不信感、欲求不満といったものが高じると、その状況をともにしている人たちの間で共通の判断基準の枠組みができあがり、その人たちの行動もその枠組みに規定されるようになります。一般的に、このようなケースでの判断基準は極端な方向に傾きやすいといわれています。

　このような集団思考にとらわれると、集団の一体感を壊さないことに重点が置かれ

リスキーシフト
その原因については2つの過程が提唱されている。
①**責任**
もし自分の意見が間違っていても、同じ意見を出した人の数が多いと「責任をとるのは誰か」という問題があいまいになり、結果としてリスキーな選択肢のハードルが下がり、危険な判断が行われやすくなってしまう。
②**リーダーシップ**
冒険的な選択をする人はリーダーとしての資質が高い場合が多いのだが、リーダーの意思決定が必ずしもよい結果を招くとは限らない。

集団が個人に与える影響

集団思考がはたらくと、多数決で決めたことが最善の策どころか危険な方向へ向かうこともあるの。会議の時は要注意ね

欲求不満説
日常の欲求不満を集団行動の中で解消しようとする。

不敗幻想
集団の大きさや結束の固さを「強さ」と錯覚して楽観的になる。

普遍感
多くの人と共通の態度や行動をとることで安心し、正当性を信じてしまう。

満場一致の幻想
集団の結束を損なうことを恐れて、反対意見が言えなくなる。

数の圧力
多数の意見に同調することで安定性を得ようとする。

てしまいます。その結果、問題の十分な検討や、現実的で有効な問題解決ができなくなったりします。このような現象を**リスキーシフト**といいます。

　近年、インターネット上の自殺志願者の掲示板（いわゆる**自殺サイト**）を見た人たちが集まり、集団自殺を遂げる事件が発生しました。これも、多くの人が集まった結果、それまでは漠然としていた自殺の意志が明確なものになってしまった、一種のリスキーシフトと考えられます。

　こうした集団思考を回避するためには、問題解決に有効と思われる解決案を自由に討論できる雰囲気をつくっておき、メンバー全員が極端な行動をとらないように常に注意しておくことが重要です。集団思考は問題点をはらんでいるということを踏まえて、自由に意見を言い合える雰囲気づくりをしておくことが大切です。

キューバ危機
東西冷戦下の1962年に起こった国際問題で、典型的なリスキーシフトの一例として引用されることが多い。国内に核ミサイルを配備し始めたキューバに、この時点でアメリカがとりうる政策は次の6つだった。
①何もしない
②外交で解決
③交渉的アプローチの海上封鎖
④最後通告的な海上封鎖
⑤キューバのミサイル基地を空爆
⑥キューバへ侵攻
政策決定を協議するために集められたメンバーの中には平和的な①や②を主張する者も少なくなかったが、議論が進むにつれてリスキーシフトが生じ、⑤へと極端に意見を変える者が出るようになった。結局、政策決定会議は④を採択し、全面核戦争への道は回避された。

第2章 集団心理がわかる

本当に「みんなが言っている」のか？
多数派の意見に流される

明日のフランス語の試験延期らしいよ
みんなが言ってた
へ～
みんな言ってる
みんな言ってる
みんな言ってる
みんな言ってる
みんな言ってる
翌日――
誰だーっ!?
変な噂流したの!!
ガラ～ン

自分の意見を他の誰かに責任転嫁

話している相手の意見が疑わしいと思った時、「みんなそう言ってるよ」と言われたことはありませんか。そう言われてしまうと、「そうなんだ」と妙に納得して、相手の意見を受け入れてしまいがちです。しかし、その「みんな」とはいったい誰のことを指しているのでしょう。

「みんなが言っている」「みんながやっている」といった言葉は、**自分の意見を他の人に責任転嫁する**ことができる便利な言葉といえます。周りのみんなが言っているのと同じ意見だから、自分の意見は正しいという理屈です。特に日本では協調性が重視される傾向があるため、他の人もやっていることだと知ると安心感を得ます。このような心理を**同調性**といいます。

このような場合、自分自身の判断で意思決定したのではなく、周囲の行動に影響を受けて判断したことになります。こうした心理を利用して、自分の意見の妥当性を証明することを**社会的証明**といいます。一時期、援助交際や不倫がある種のブームになったり、同性愛者が一般にも認知されるようになってきたのは、「みんなやっていることだから」という心理による社会的証明ともいえるでしょう。

同調性や社会的証明による影響を受けないためには、「みんな言っているよ」と言われたら「みんなって誰のこと?」と言い返してみましょう。相手は、たいていは言葉に詰まってしまうはずです。「みんなが言っている」といったケースでの「みんな」とは実体のあるものではなく、話し相手を同調させるためにつくり出した幻想に過ぎない場合が多いものです。

同調性
ポーランド出身の社会心理学者**アッシュ**は、次のような実験で人間の同調性を調べた。スライドで映されたAの線を短時間見た後で、別スライド①②③の中から同じ長さの線を選ぶというもの。

A
Aと同じ長さの線を、次の①～③から選べ。
①
②
③

正解はもちろん②。解答者が1人の時は正解率は99%以上だったのだが、解答者を含む7人のグループのうち解答者以外の6人をサクラに仕立てて間違った答えを言わせると、正解率は24%にまで下がった。解答者は多数派の意見に引きずられて同調行動をとり、間違った答えを選んでしまったわけだ。

第2章
集団心理がわかる

自分が属している集団に染まる心理
同調行動が出世の近道？

これがD之内さんの会社か…
○×食品
オレもこんなとこに就職できるのかな～？
まず見た目を直さなきゃダメだな!!
D之内さん!?
職場で重要なのはチームワーク!!
「出る杭は打たれる」ぞっ!!
さあA野くん
僕たちと同調《シンクロ》!!
いえ…
結構です…

同調行動をとる人ほど組織では評価が高い

通勤時、同じ電車に乗り合わせたビジネスマンの服装が「みんな同じだなあ」と感じたことはありませんか。また、雰囲気から「この人は事務職」「この人は営業職」と、なんとなくわかったりします。

これは、自分が所属するグループや職場の雰囲気に自分の服装を合わせているからです。会社やグループなど集団の中では、そこに属している人がみんな同じような考え方や行動パターンを持つことを求められる傾向があります。そこから逸脱する人は矯正されたり、それでも直らないなら排除しようという行動に向かいます。「出る杭《くい》は打たれる」というわけです。

逆に、職場の雰囲気や会社の方針などにすんなりとなじんでくれる人は高い評価を与えられます。言うことをきかない人よりも、会社をわかってくれる人の方が、出世する確率は高いといえます。そのため、人は会社をはじめとした集団の中では、周りの雰囲気に合わせ、集団から逸脱しないように気を配ります。服装や行動が一人だけ違う人がいても、会社から排除される危険性があるため、また自分も居心地が悪くなるため、やがて他のメンバーと同じ服装や行動をするようになります。

この行動も、**同調性**（P83参照）によるものです。同調行動は、自分でも無意識にそうしてしまう場合もありますが、自分の考え方や行動を集団に合わせて意識的に変えてしまうこともあります。集団には、集団を維持するための**斉一性《せいいっせい》の圧力**というものがはたらいていて、他のメンバーから大きく逸脱しないように統制されているのです。

同調行動
多数派に流されやすい人の特性を示すものであるため、好意的な印象はあまりないかもしれない。しかし、他人と打ち解けることで信頼関係が築かれ、それによってしぐさや表情などが互いに似通ってくるケース（**姿勢反響**）など、ポジティブな同調行動もある。

斉一性の圧力
集団の内では、メンバーの考え方や志向、行動、好みなどが似通ったもの、あるいは同一にするような圧力がはたらきがちになる。これは斉一性の原理と呼ばれる。

集団の意思を少数派が決めることもある

多数派の意見を変える

試合は大づめの9回裏!!
1点を追うシンリーズはノーアウト1・2塁と逆転のチャンスです
ここは送りバントだろ…
バントよね
バントに決まってる
バントでしょ
いやヒッティングで!!
おーっと!! 監督の鶴の一声で強行策に決まった!!
結果は最悪のトリプルプレー!!
ウ〜〜〜
……
こういうこともあるさ…
試合終了〜!!

下から集団に革新をもたらす少数派の影響

会社やグループなど、集団が大きければ大きいほど、集団の意思決定は多数派の意見が大きくものをいうものです。しかし、時には少数派の意見が集団に影響を与えることもあります。これを心理学では**マイノリティ・インフルエンス（少数派の影響）**といい、フランスの心理学者**モスコビッチ**によって実証されました。

マイノリティ・インフルエンスには大きく2種類あります。

ひとつは**モスコビッチの方略**というものです。少数派が自分の意見を一貫性を持って主張し続けることで、多数派に影響を与えることができます。何度も根気よく意見を主張し続けることで、やがて多数派が少数派の意見に耳を傾け、やがては納得するようになります。

もうひとつは**ホランダーの方略**と呼ばれるもので、過去に集団に大きく貢献した人が、その実績を後ろ盾に集団の理解や承認を得ていくというやり方です。社員たちから絶大な信頼を得ているカリスマ経営者の〝鶴のひと声〟で決まるようなケースはこれにあたります。モスコビッチの方略が下から集団に革新をもたらしていくやり方であるのに対して、ホランダーの方略は、上から集団に革新をもたらす方法です。

少数派が多数派に影響を与えようとする場合、根気か信頼のどちらかが最低でも必要ということです。ただしいずれにしても、意見と現実との間にあまりにも大きなズレがある場合、マイノリティ・インフルエンスはあまり作用しないことがわかっています。多数派の意見を切り崩すのは、なかなか容易なことではないのです。

ホランダーの方略
社会心理学者**ホランダー**の名にちなむ。ホランダーは「潜在的にリーダーシップを発揮する能力のある人は、まず集団の規範にしたがい、業績を上げ、十分に信頼を蓄積する。その結果として『革新を起こしてほしい』という期待が集団の中から生まれてくる」という**信頼蓄積理論**を提唱した。

「世間様は冷たいねぇ」なんて言うけれど 都会の人ほど冷たい？

あまりにも多くの情報から自分の身を守るため

　都会に住んでいる人は、地方の人に比べて冷たいという話をよく聞きます。もちろん、都会の人でも心の温かい人はいるし、地方の人にも冷たい人はいます。それなのに、どうして「都会人は冷たい」という風評が定着しているのでしょうか。

　これは、**都会と地方で一人の人間が受ける情報量の差に原因がある**とされています。近年はテレビやインターネットの普及もあり、都会と地方との情報格差は以前より小さくなったといえますが、依然として都会には地方よりも多くの情報があふれています。情報が氾濫している状況を、心理学では**過剰負荷環境**といいます。過剰負荷環境の下では、人は多くの情報の中から必要なものだけを取り入れ、そうでないものは無視するという行動をとります。

　これが人間関係にも反映されているのです。地方よりも多くの人が生活している都会では、過剰負荷環境に適応しようとして、自分と関係がない人とは極力コミュニケーションを避けるようになります。その結果として、都会の人は地方の人に比べて冷たいという印象を与えてしまうのです。

カナダの社会学者**ゴフマン**は、そのような行動概念を**儀礼的無関心**と名付けました。親しくない人との不要な関係を排除するため、あえて儀礼的にふるまって無関心を装うというものです。

　なお、こうした無関心を装うケースは老人や子供の方が少ないことが実験で証明されています。これは、老人や子供は自由な時間を比較的多く持っているため、何か変わったことに関心を示す余裕がそれだけあるからと考えられています。

都会人は冷たい
もっとも、例えば大阪人は一般的に世話好きで社交的な人が多く、東京人はどちらかといえば冗談が通じにくいなど、同じ都会でも温かさ・冷たさに差が出てくるケースもある。これは県民性や土地柄によるものと考えられる。

過剰負荷環境
アメリカの心理学者**ミルグラム**によれば、過剰負荷環境に適応しようとする人の反応には次のような特徴があるという。
①情報をできるだけ短時間に処理しようとする
②重要ではない情報は無視する
③責任を他人に押しつける
④他人との個人的な接触はできるだけ少なくする

パニックはなぜ起こる?

痛ましい事故をも巻き起こす集団心理

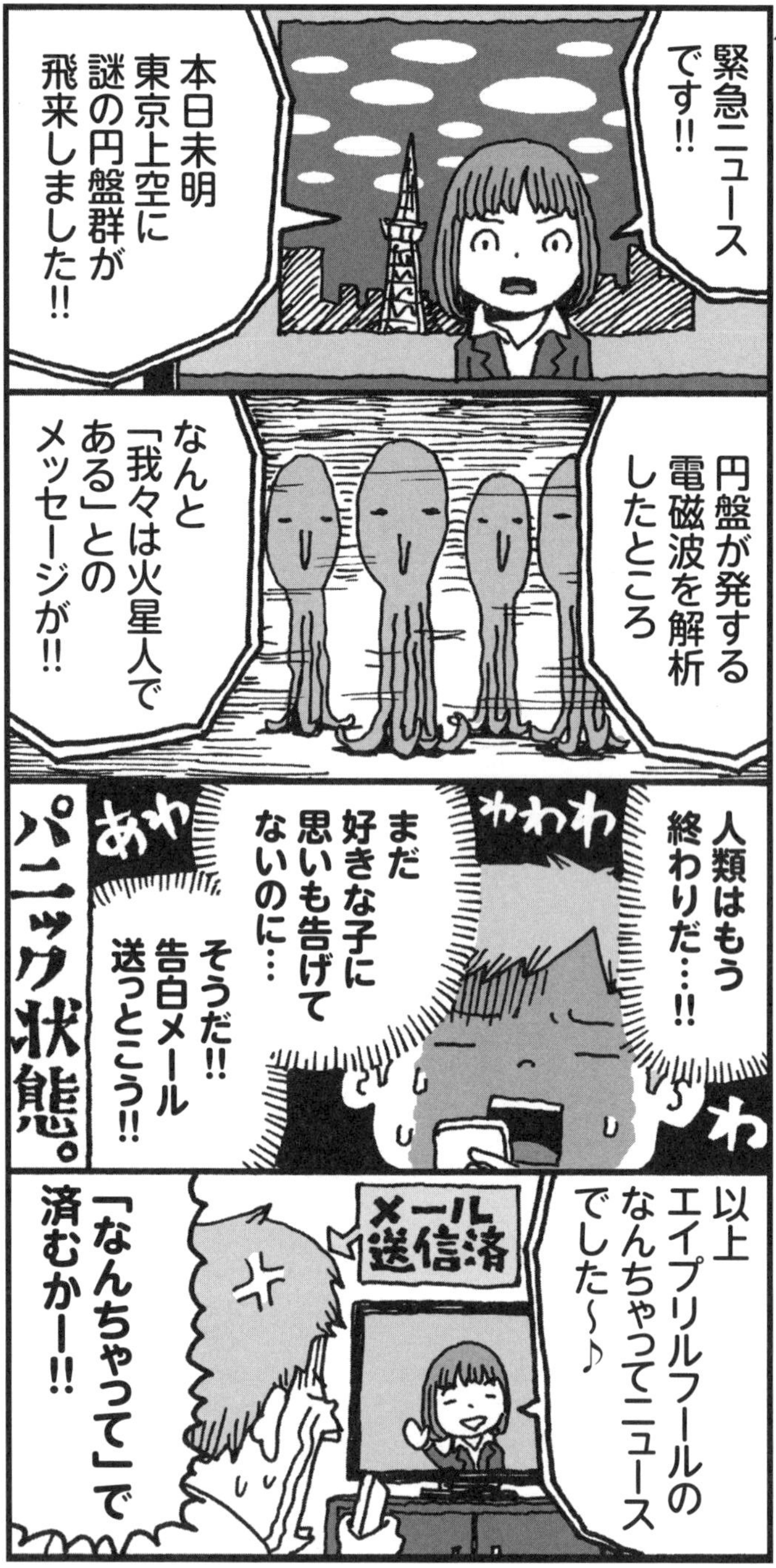
緊急ニュースです!!
本日未明
東京上空に
謎の円盤群が
飛来しました!!
円盤が発する
電磁波を解析
したところ
なんと
「我々は火星人で
ある」との
メッセージが!!
わわわ
人類はもう
終わりだ…!!
まだ
好きな子に
思いも告げて
ないのに…
あわ
そうだ!!
告白メール
送っとこう!!
パニック状態。
わ
以上
エイプリルフールの
なんちゃってニュース
でした〜♪
メール
送信済
「なんちゃって」で
済むかー!!

集団に連鎖するとパニックの被害も拡大

『日本沈没』など、災害や大惨事をテーマにした映画を「パニック映画」と呼ぶように、**パニック**とは天災や人災などの危機に遭遇した際に発生する**無秩序な集団行動**のことをいいます。

SF作品が、本物のパニックを起こしたというケースもあります。戦前の話ですが、『宇宙戦争』というアメリカのラジオドラマがありました。火星人が地球に攻めてくるという内容で、臨時ニュースから始まる臨場感あふれる演出に視聴者は現実の出来事と信じ込んでしまい、大きなパニックが発生する結果となりました。

人は、強い不安や恐怖（ストレス）を感じると混乱した心理状態に陥り、思わず衝動的な行動をとってパニックを引き起こすことがあります。衝動的な行動を起こすことで、偶然にでもその危機から脱出できる可能性が生まれると錯覚するため、冷静に考えれば決して正しくない行動をとってしまうのです。

パニックは、日常と異なる状況に遭遇した時に正しい情報が素早く伝達されないと起こりやすくなります。ただし、テレビやラジオ、インターネットなど情報網が発達している現代でも、パニックが起こる危険性はあります。さらに、集団の中の一人がパニックを起こす心理状態に陥って衝動的な行動をとると、それが集団全体にも広がってそれぞれが無秩序な行動を起こすようになります。「将棋倒し」の事故のように、集団の規模が大きければ大きいほど、本来は危険度の少ない危機であるはずなのに、パニックによって被害が連鎖的に拡大するケースもあるので注意が必要です。

パニック
ギリシャ神話に登場する上半身が人間、下半身が山羊の姿をした**パン**という神の名に由来する。パンは家畜の神で、古代ギリシャの人々は家畜の群れが何の前触れもなく突然騒ぎ出したり集団で逃げ出したりするのは、パンが見えない力で家畜の感情を揺り動かし、衝動的な行動をさせているのだと考えていた。このことから、突然の危機に驚いて逃げ惑うなどの集団行動をパニックと呼ぶようになった。

人の心を変える方法でもこれは困りもの
マインドコントロールの恐怖

なんか喉かわいたなー
私って優しい男に弱いのよね…
はいっ!!
ちょっと甘いものもほしいかも
プレゼント攻撃で落ちない女はいないわ…
はいっ!!
あれもある意味マインドコントロールなんじゃ…?

マインドコントロールと洗脳は違う？

マインドコントロールとは、人に暗示をかけ、価値観を植えつけることです。ひとたびマインドコントロールを受けてしまうと、本人の自覚がないままに、その人の**アイデンティティ**は破壊され、別の人格に変えられてしまいます。多くの場合、人間の欲求や情報をコントロールし、その人を支配するために使われます。カルト教団と呼ばれる宗教団体などからマインドコントロールを受けた人が、犯罪行為に手を染めてしまうのもこのためです。高額な受講料を払わせる悪質な自己啓発セミナーなども、この一種といえます。

マインドコントロールは**洗脳**と混同されがちです。いずれも、その人の人格を破壊した上で操作するための方法ですが、現在ではこの2つは明確に区別されています。洗脳は、政治犯や捕虜に対して強制的に思想改造を行うもので、長時間にわたって隔離するなどの精神的苦痛を与えることが基本となっています。

一方、マインドコントロールは**精神医学的な原理を応用した高度なテクニックを用い、外部からの情報をコントロールしながら特定の論理を与えることで、その人の感情や思想を操作する**のです。マインドコントロールのテクニックを用いれば、心の弱い人でなくてもたいていの人はコントロールできてしまうというわけです。

さらに、マインドコントロールが恐ろしいのは、それを解除するためには専門的な知識や一定の手順が必要なことです。うまく解除できたとしても、後遺症が後々まで残るケースがあります。この点も、洗脳とは大きく異なります。

アイデンティティ
「自分とは何なのか」「自分は将来どのような人間になるのか」といった、自分の存在意義について考えていくことで心の中に生まれる概念。日本語では「自己同一性」「自己の存在証明」と訳される。アメリカの心理学者**エリクソン**が提唱した。

人はなぜ「あがる」のか？

あがってしまって実力を出し切れない人へ

極度の緊張状態から起こる対人恐怖の一種

あなたにも、大事な試験や面接を受ける前や、プレゼンなど大勢の人の前で話す時にあがってしまい、本来の実力を出し切れなかったり、伝えたいことの半分も話せなかったという経験はあることでしょう。また、好きな人と話す時に赤面したり何も話せなくなってしまい、恥をかいたという人はいませんか。

これは、極度の緊張から引き起こされる「**あがり**」の現象で、**対人恐怖**のひとつとされています。

あがりやすいかそうでないかは個人差がありますが、**まじめで努力家、妥協を許さない完璧主義の人が、性格的にあがりやすい傾向にある**ようです。「他人にカッコ悪い姿を見せたくない」「いいところを見せて高い評価を得たい」という願望が大きいため、極度の緊張状態になってしまうのです。自分の目指すレベルが能力以上に高すぎる人も、実力とのギャップを埋めるために無理をしなければならず、結果として過度に緊張してあがってしまうのです。

したがって、緊張しないようにすることが、あがらないための何よりの対策です。「ダメでもともと」「失敗しても、後でフォローできるからいいや」と楽観的に考えて開き直るくらいの余裕を心に持ち、リラックスして臨むようにしましょう。

いざ本番になって声が震えたり、言葉に詰まったりしても、その状態から逃げないで少しずつ改善していく努力をしていきましょう。人前で話す前にあらかじめ練習やリハーサルをしておくのもよいし、できるだけ場数を踏んで経験を積み、自信をつけていくことも忘れないように。

対人恐怖
人前で緊張したり不安を感じたりするだけでなく、「相手に嫌われるのではないか」とまで考えてしまうような**対人恐怖症**の傾向がある。「相手が自分のことをどう思っているのか」を気にしすぎる人がなりやすい。具体的には、人前に出ると赤面する（赤面恐怖）、相手の視線を嫌がって目を見て話せない（視線恐怖）、言葉がどもってしまう（吃《きつ》音《おん》恐怖）などの症状がみられる。

公衆トイレの利用状況を調べたところ……

どのトイレが一番使われる？

心理テストです！
トイレに個室が3つあなたはどこで用を足す？
私はまん中かなー
あ 私も同じ!!
マジ!? オレは絶対一番奥だな
D之内さんは？
もじ もじ
大きい方は自宅のトイレじゃないとダメなたちで…
小学生か!!!

男女でずいぶん違うトイレスペースの使用頻度

公園や駅、デパートなどの公衆トイレを使う時、たくさんあるスペースの中から、あなたはどのスペースで用を足すことが多いですか。先客がいない限り、いつも決まった場所で用を足すという人は意外に多いのではないでしょうか。他愛もないことかもしれませんが、こんなことも心理学で説明ができるのです。

実は、公衆トイレのスペースのうちどこが最もよく使われるかを調べた心理実験があります。男子トイレと女子トイレのスペースごとの使用頻度を調べて、使用者の心理状態を探ろうというものです。この実験の結果によれば、トイレの使われ方には男女ともに一定の原則があることがわかっています（P98参照）。

男子トイレでは、**入り口から遠い一番奥のスペースが最も頻繁に利用されます**。その次に、手洗い場からひとつ離れたスペースがよく利用されるといいます。

一方、女子トイレでは男子トイレとはパターンが異なっています。奥や手洗い場の近くではなく、**中ほどの場所が最もよく利用される傾向があります**。さらに女子トイレでは、奥の方も入り口に近い方も端のスペースへ行くほど使用頻度が低いことがわかりました。

女性の場合は、「真ん中あたりのスペースの方が安心して用を足せる」という心理がはたらいているようです。奥のスペースでは、「火事が発生したり誰かに襲われたりするなど、何らかのトラブルがあった時に逃げることが難しい」という理由が考えられるため、そのような心理を生んでいるのかもしれません。

トイレの心理学
トイレにまつわる心理学の話題をもうひとつ。「デパートなどに比べて、書店ではトイレに行きたくなることが多い」という話をよく聞く。これは、書店はあまり混雑することがなく、そこにいる人たちは本に集中していてお互いの無関心が自然に演出されているから、落ち着いてゆっくりと用を足したくなるという心理がはたらくためと考えられる。この現象に最初に言及した人物の名をとって**青木まりこ現象**とも呼ばれるが、科学的に根拠があることなのかどうかは現在でもよくわかっていない。

どのトイレが一番よく使われる？

トイレを利用した男性268人、女性248人の使用したスペースを調べたところ、このような結果が出た。

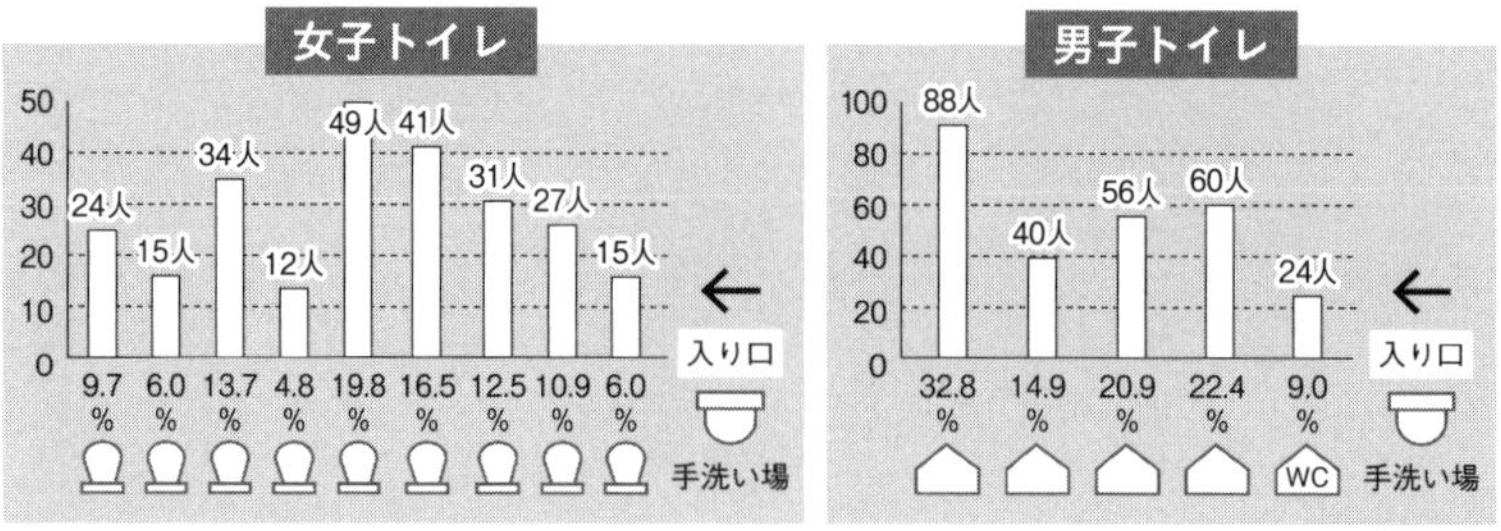

女子トイレ
50
40
30
20
10
0
24人
15人
34人
12人
49人
41人
31人
27人
15人
9.7%
6.0%
13.7%
4.8%
19.8%
16.5%
12.5%
10.9%
6.0%
入り口
手洗い場
男子トイレ
100
80
60
40
20
0
88人
40人
56人
60人
24人
32.8%
14.9%
20.9%
22.4%
9.0%
WC
入り口
手洗い場

著者の調査より

パーソナル・スペースがないと落ち着いて用を足せない

また男子トイレでは、２人以上で同時に利用する場合、お互いになるべく離れて用を足す傾向にあるそうです。この行動パターンは、お互いの**パーソナル・スペース**が関係していると考えられます。

人はどんな場所でも、自分の周囲に他人の侵入を拒む心理的な空間を持っており、その境界線を越えて他人に入ってこられると不快感を覚えます。トイレという場所においても、パーソナル・スペースが重なり合うような接近したスペースでは、落ち着いて用が足せないのです。男子トイレで最も奥のスペースがよく使われるのは、片側は壁でスペースがないため、それだけパーソナル・スペースが確保され、落ち着いて用が足せるからです。

パーソナル・スペース
アメリカの心理学者**R・ソマー**は、人の体を中心に取り巻く空間で、他者との親密さによって拡大縮小する対人関係を形成するための空間領域をパーソナル・スペースとした。

同じ端のスペースでも、入り口や手洗い場に近い最も手前のスペースの使用頻度が低いことは男女とも共通しています。これも、トイレに入ってくる人や手洗い場で手を洗う人など他人が近くにいる時間が長いため、敬遠される傾向にあるといえます。

さらに、男子トイレで3つある便器のうち、端のひとつを使用不可にして隣合わせでしか用を足せないようにした場合、離れてする時よりも用足しにかかる時間が短くなることもわかっています。

これは、自分のパーソナル・スペースに他人が侵入すると、早くその場所から立ち去りたいという心理がはたらき、動作が機敏になるからと考えられます。男子トイレで行列ができていても回転が速いのは、純粋に用足しにかかる時間が短いというだけでなく、このような心理がはたらいているからなのかもしれません。

人間における距離帯（E.T.ホールより）

密接距離（0～45cm）	近接相（0～15cm）	かなり親しい2人の距離。言葉より体を使うコミュニケーションが多くなる。
	遠方相（15～45cm）	手が届く距離で、親しい2人が使う。この距離まで他人が近づくとストレスを感じる。
個体距離（45～120cm）	近接相（45～75cm）	手を伸ばせば届く距離。恋人や夫婦なら自然だが、それ以外の異性が入ってくると誤解が生じやすい。
	遠方相（75～120cm）	お互いが手を伸ばせば届く距離。個人的な要望や用件を伝えたい時などに使われる。
社会距離（120～360cm）	近接相（120～210cm）	身体的な接触が難しい距離。仕事をする時の同僚との距離に最適。
	遠方相（210～360cm）	何かをしたい時、相手のことを気にすることなく作業ができる距離。オフィシャルな仕事の時などに使われる。
公衆距離（360cm～）	近接相（360～750cm）	表情の変化は確認できないが、質疑応答など簡単なコミュニケーションならとれる。
	遠方相（750cm～）	講演や演説などで使われる距離。言葉の細かいニュアンスは伝わらず、身振りなどのコミュニケーションが必要になる。

コミュニケーションや人間関係の違いによって適切な距離が変わってくるの

第2章 集団心理がわかる

社会的地位が高いのは人格者の証拠？

人は「肩書き」に弱いのか？

銀行にて
あの～
入金したいんですけど…
!!
お客様いらっしゃいませ
本日はどのようなご用向きで
えっ!?
ぴゅ～～
どよ～ん…
これでも一応…
個人事業主なのに～!!

肩書きと「親の七光り」の心理的メカニズム

あなたは、人を見る時にはどのような価値基準で相手を判断していますか。「人を外見で判断するのは恥ずべきこと」と考えている人は、読者のみなさんの中にも少なからずいると思われます。しかし、実際は外見が人を判断する上での大きな要素のひとつになっており、その人の印象は見た目が大きくものを言っているのは動かしがたい事実です。これは**メラビアンの法則**（P128参照）といいます。

外見とともに人の判断材料となっているものに、その人の「肩書き」があります。例えば、政治家や弁護士など社会的にステータスが高いとされている職業の人だったら、それだけで尊敬に値する人物だと思い込んでしまったり、その人の名刺の肩書きが部長や専務など自分より高い役職だったら、それだけでかしこまってしまうことはありがちです。しかし、実のところその人は、弁護士は弁護士でもいわゆる悪徳弁護士かもしれませんし、専務は専務でも能力もないのに社長の息子というだけで与えられた肩書きなのかもしれません。

このように**外見や、肩書き・身分などのイメージが実態以上にその人を大きく見せたり、信憑性《しんぴょうせい》を与えることがあります。**このような効果を**ハロー効果（後光効果、光背効果）**といいます。

確かに人間は中身が大事ですが、それはある程度長くつき合ってみないとわかりません。てっとり早く相手に好印象を与えたいと思うなら、まず服装や身なりを整えてハロー効果を最大限に利用するのがよい方法です。本当の自分をわかってもらうのは、それからでも遅くはありません。

ハロー効果
アメリカの心理学者**シンガー**は、40人の大学教授に192人の女子学生の写真を見せ、それぞれの女子学生の外見的な魅力が成績にどのように反映されているかを調べた。その結果、魅力があると判断された女子学生ほど成績もよいことがわかった。美人という外見的特徴がハロー効果となって、成績に反映されたわけである。

人の意見や態度を変えさせるには？

相手を説得するテクニック

B子お願い!!
今日だけベビーシッターのバイト代わって!!
彼氏が急に休み取れたの!!
え〜〜大変そうだなぁ〜〜
そんなことないって!
子供はすごくかわいいし
家はピッカピカの高級マンション
それに時給3000円よ!!
ギラ〜ン!
まあ親友の頼みだし
やってみるか!
…って三つ子かよ!!
キャッ
キャッ
キャ〜
あいつ不利な条件隠してやがったな〜〜!!

相手に合わせて適切な条件を提示すること

説得とは、相手の意見や態度を意図的なメッセージを送ることによって変えさせることです。相手を説得するための具体的な働きかけやプロセスを**説得的コミュニケーション**といいます。

説得にはさまざまなかたちがあり、相手によって、また内容によっても方法は変わってきます。さらに、相手を効果的に説得するためには説得する側の専門的知識や魅力も必要となってきますが、それ以上に重要なのは、相手の反応に合わせて適切な条件を用意することです。

人を説得するためには、その時その時でテクニックが必要となる、ということです。ここでは、効果的な説得の方法をいくつか紹介しましょう。

①不利な条件は隠しておく

あらかじめ相手に有利な条件で説得してOKをもらった後に、本来の不利な条件を提示して承諾をもらう方法です。相手を多少なりともだます結果になるので好ましい方法とはいえませんが、送り手の技量次第では話をうまくまとめることができます。

ただし、不利な条件を提示するときに、送り手はよほど言葉巧みに弁明しなければならなくなります。これができないとトラブルになるだけなので、口があまり達者ではない人は使わない方が無難なテクニックといえます。

②プラス情報だけ伝える

受け手側が送り手と同じ考えであるなら、相手に有利な情報だけを伝えるのが効果的な説得方法です。おすすめするものの長所だけを相手に知らせるのです。これを

説得的コミュニケーション
心理学における説得の方法には、**クライマックス法**と**アンチ・クライマックス法**というものもある。前者は、最初に当たり障りのない話をしておいて後から重要な話を、後者は最初に重要な話をして後から当たり障りのない話をするやり方。聞き手が高い関心を持っている時はクライマックス法が、そうでない時はアンチ・クライマックス法による説得が有効とされる。

一面提示といいます。

しかし、受け手が送り手と違う考えを持っている場合、後になってからクレームを入れられる可能性もそれだけ高くなります。場合によっては、受け手が思いもよらない形で反対の方向に意見を変えてしまう**ブーメラン効果**を起こすこともあります。

③プラス情報もマイナス情報も伝える

相手からのクレームを避けるためには、はじめからいいところと悪いところの両方を伝えておくことが必要です。これを**両面提示**といいます。

例えば、ドラッグストアで薬の説明をする時、薬学の知識をほとんど持っていない一般客の場合は「一番効き目が強いのはこれです」といった具合に薬の効能だけ伝える一面提示が向いているといえます。一方、薬学の知識を一定以上持っている人や自分でものごとを決めたがる人の場合は、いくつかの薬のプラス情報とマイナス情報を知らせる両面提示が向いています。

④あらかじめマイナス情報を伝える

ようやく契約を取りつけたにもかかわらず、急に相手が「契約を解消したい」と言い出してくることがあります。受け手が説得に応じた後で考えや態度を変えてしまうのは、どこかで新しい情報を手に入れたり、反対の意見（逆宣伝）を聞かされたりしたことが理由として考えられます。

おすすめするものにマイナス情報がある場合は、はじめからそれを伝えておいてから説得した方がうまくいく場合があります。これは説得の**接種理論**といい、病気の予防接種と同じように、あらかじめ反対意見に対する免疫や抵抗力を高めておけば、逆宣伝を聞かされてもむやみに意見を変え

ブーメラン効果
これから勉強しようと思っていたところに「勉強しなさい」と言われるとかえって勉強する気がなくなってしまうように、説得しようとすればするほど、説得される側が反発して逆効果になる心理現象。アメリカの心理学者**ブレーム**は、このような説得への抵抗は自分の態度や行動の自由を守るために生じるという**心理的リアクタンス理論**（P73参照）を提唱した。

説得される時の心理効果

人が説得される時の心理的効果を知っておけば、さまざまなシーンで役に立つことが多い。

一面提示
○○がすごく人気あるみたいだから、コンサートへ行こうよ
行きたい！
両面提示
大人気の○○のコンサートのチケットがあるけど行かない？ その代わりすごく混むよ。
○○なら混んでもしょうがない。混んでも行きたい！

いいところだけを伝えると、人は思わず納得してしまう。

一定の情報を持っている場合はデメリットを伝えた方がよい場合も。

たりしなくなります。

このほか、説得の際は**相手との距離も重要な要素**であることがわかっています。相手から「約50センチ」あるいは「約１５０センチ」離れて、「熱心に」あるいは「熱心にではなく」説得し、それぞれの効果の違いを実験で確かめたところ、相手から約50センチの距離で熱心に説得した時が最も効果がありました。逆に最も効果が低かったのは、約１００センチの距離で熱心に説得した時でした。

相手との距離が遠いと「一生懸命のようだけど、あんなに遠くから話しているのはこちらを敬遠しているからだ」と感じてしまうようです。相手に50センチ程度まで近づいて熱心に伝えることも、説得を成功させる大きなカギであると覚えておきましょう。

接種理論

アメリカの社会心理学者**マクガイヤー**は、いくつかの実験でこれを証明した。

例えば、「ペニシリン（抗生物質の一種）は人類に多くの益をもたらした」という文章に対し、はじめから賛成・反対の両方の意見書を読んでいた人たちは、後になって反対意見と反証実験の結果を読まされても高確率で賛成を表明し続けた。

一方、賛成意見しか読んでいなかった人たちに反対意見を読ませたところ、賛成支持率は急激に低下した。

よいリーダーの条件を心理学で探る

リーダーは環境でつくられる

ハイキングに出発するにあたって
一応リーダー決めとこうか
じゃあC乃さんお願いします!! 一番年上だし
えぇっ私!?
そーゆーの苦手なんだけど…
わー タンポポ♥
コラそこ!! 列を乱すとキケンですよっ!!
すっすいません…
C乃さん意外と仕切り屋だ!!

リーダーになった人はリーダーシップを自覚する

会社やグループなどの組織や集団には、ほとんどの場合はリーダーと呼ばれる人がいて、組織の中で主導的な役割を担っています。このリーダーの能力、すなわち**リーダーシップ**がしっかりと発揮されるかされないかによって、組織が享受できるメリットは大きくも小さくもなります。組織が得られるメリットが大きくなれば、組織に属しているメンバー全員が、それだけ大きなメリットを得ることができます。

ところで、**リーダーシップはその人の役割や立場、あるいは環境によってつくられる**ことがあります。

小学生を対象にしたこんな研究があります。担任の先生が無作為に一人の児童をクラス委員に指名しました。1学期が過ぎた頃、「クラスの中で一緒に勉強したい人との名前を書きなさい」というテスト（**ソシオメトリック・テスト**）を実施したところ、クラス委員の名前を書いた児童が多かったのです。

つまり、それまではリーダーシップがなかった児童でも、リーダーとしての役割を担わされるとリーダーらしい行動をとるようになり、クラスメイトにもそれが認められるようになるというわけです。

これは子供に限った話ではなく、大人にもあてはまります。会社の社長、あるいは課長や部長など管理職になった人は、上に立つ者として、部下を持つ者としての意識を持って、リーダー然とした行動をとるようになります。そうしているうちに「部下の手本とならなければならない」といった自覚が芽生え、自然とリーダーシップを身につけていくといえるでしょう。

ソシオメトリック・テスト
集団の中では、必ず仲のよい人と悪い人が生まれる。誰と誰が仲がよく、誰と誰が仲が悪いかを体系的に図式化したり、数量的に表現することで、集団の構造や内部の力学を知ることができる。この考え方を**ソシオメトリー**といい、これを調べるために実施するテストをソシオメトリック・テストと呼ぶ。ルーマニア出身の心理療法家**モレノ**が提唱した。

あなたのリーダーシップはどのタイプ？

　具体的に、よいリーダーにはどのような素養が必要なのでしょうか。それを知るための方法に**PM理論**があります。

　心理学者の**三隅二不二**《みすみじふじ》は、リーダーシップの機能を２つの集団機能から分析しました。つまり、目的達成のために人を動かしたり計画を練ったりする**P機能（目的達成機能）**と、なごやかな雰囲気を醸し出して集団を円滑に機能させ、まとめようとする**M機能（集団維持機能）**です。

　リーダーが、目的を達成するために部下に指示や命令を下すのがＰ機能です。しかし、リーダーには部下や現場の立場や事情を理解した上で指示を出したり、集団内のトラブルを解決したり、部下をえこひいきしたりせず公平に扱うなど、集団としてのまとまりを維持・強化するための配慮も必要となります。これがＭ機能です。

　三隅氏は、この２つの集団機能を軸としたＰＭ理論を用いて、２つの機能の強弱によってリーダーの行動特性を分類しました。つまり、縦軸をＭ機能、横軸をＰ機能として図式化し、リーダーがこれらの要素を多く持っている場合をＰ・Ｍ、少ない場合をｐ・ｍとし、それぞれＰＭ型、Ｐｍ型、ｐＭ型、ｐｍ型という４つのタイプに分けたのです（Ｐ１０９参照）。

　三隅氏の研究では、**メンバーの満足度や組織の生産性が最も高くなるのはP機能とM機能がともに高いPM型のリーダーをトップに擁している組織で、逆にpm型リーダーのもとでは最小になる**ことがわかりました。

　あなたは今、リーダーの立場で苦労していませんか。あるいは、これからリーダー

三隅二不二
（1924〜2002）
日本の心理学者。リーダーシップをP機能とM機能の複合として捉えるPM理論は、アメリカの心理学者**ブレイク**と**ムートン**が提唱した組織開発のためのリーダーシップ論である**マネジリアル・グリッド理論**とともに、世界的に有名なリーダー理論。

の立場になるけれども何をしたらいいのかわからない、今まで以上に「デキる」リーダーになりたいと思っているのではないでしょうか。そのような人は、このPM理論をもとに行動すれば、リーダーとして組織をうまく引っ張っていくことができます。

PM理論で自分をセルフ・モニタリングして、P機能が強いのかM機能が強いのか、自分のタイプを改めて分析してみましょう。部下に厳しく、成果を求めてばかりいるP機能の強い人（**Pm型**）は、コミュニケーションを重視してM機能を高めていくとよいでしょう。面倒見がよく、部下とのコミュニケーションも良好なM機能の高い人（**pM型**）は、これまで以上に仕事の効率や生産性を重視し、時には部下を厳しく叱ったりして成果を上げることでP機能を高めていくことで、理想のリーダー（**PM型**）に近づくことができます。

PM理論で考える4つのリーダータイプ

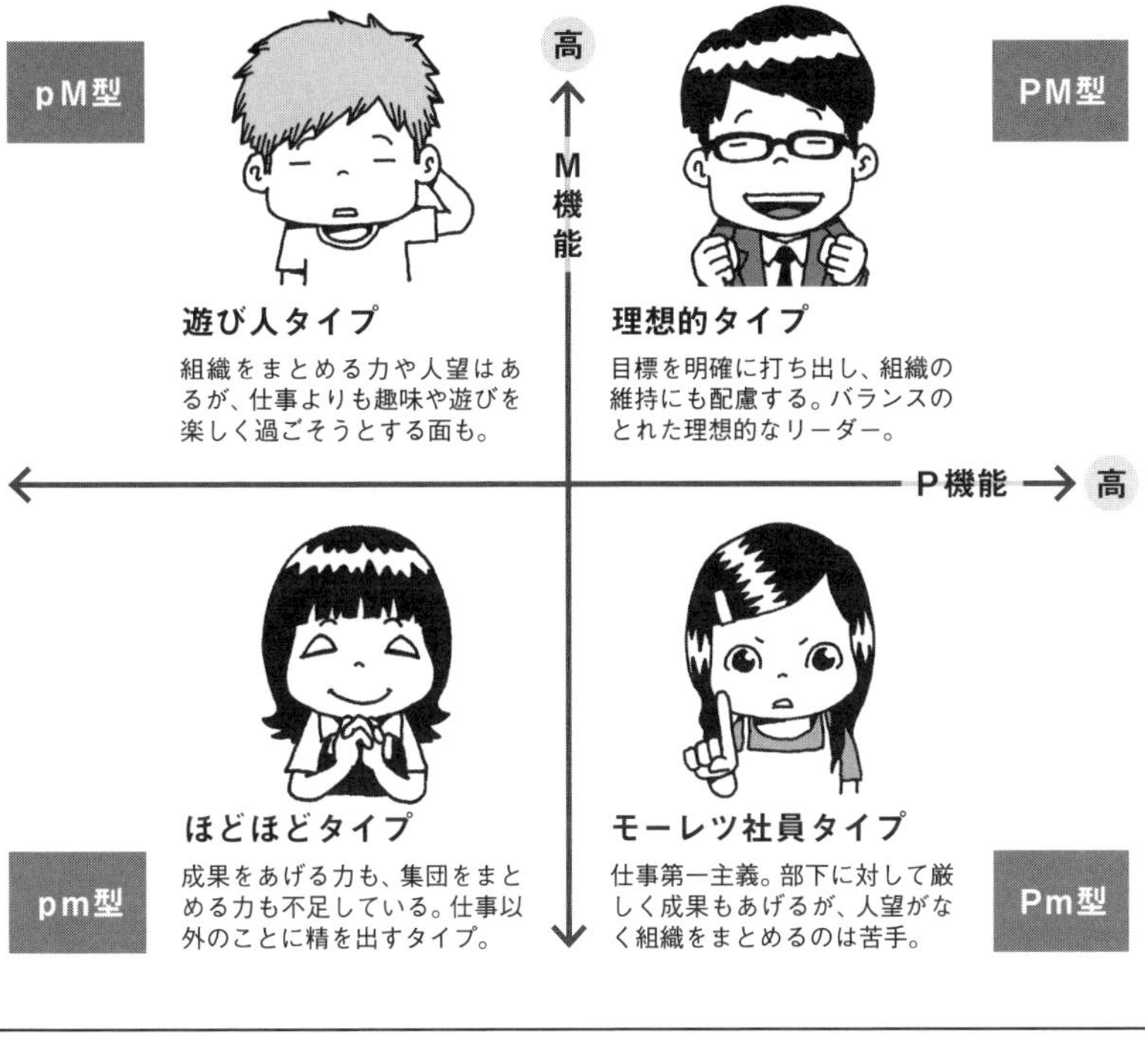

pM型
高
M機能
PM型
遊び人タイプ
組織をまとめる力や人望はあるが、仕事よりも趣味や遊びを楽しく過ごそうとする面も。
理想的タイプ
目標を明確に打ち出し、組織の維持にも配慮する。バランスのとれた理想的なリーダー。
P機能
高
ほどほどタイプ
成果をあげる力も、集団をまとめる力も不足している。仕事以外のことに精を出すタイプ。
モーレツ社員タイプ
仕事第一主義。部下に対して厳しく成果もあげるが、人望がなく組織をまとめるのは苦手。
pm型
Pm型

第2章
集団心理がわかる

商売のウラに隠された心理を解明！

顧客の心をつかむテクニック

歳末大処分市
フ〜
買った買った!!
やっぱりバーゲンは戦場だわ…
あれっ この行列何だろ？
まだゲットしてないものあったっけ…
これだけ並んでるってことは
買わなきゃ損だわ!!
1時間後
WC
トイレの列だったっ!!

お客さんの購買行動を心理学で知る

商売にたずさわっている人であればどんな人でも、できるだけ多くのお客さんを確保して、ひとつでも多くの商品やサービスを買ってもらう努力をしているはずです。

しかし、自分がお客の立場になった時には「これはよい商品だ。また買おう」「あんな店には二度と行きたくない」といった具合に、その商品やサービスの善し悪しがすぐわかるものなのに、いざ自分が売る側にまわってみると、とたんにお客さんの心理がわからなくなったりします。商売がうまくいくテクニックというものがあったら、知りたいと思いませんか。

ここでは、商売のウラに隠れているさまざまなテクニックについて、心理学的に分析しながら紹介していきます。

①「買わなきゃ損」と思わせる

バーゲンセールで衝動買いをしてしまったり、どんな商品を売っているのか知りもしないのに行列ができていると思わず並んでしまった経験はありませんか。大勢の人が商品に群がったり、その商品を買うために長い行列ができていたりすると「自分も買わないと損をする」という気がしてきます。広告やチラシに「先着20名様」「早い者勝ち！」などという売り文句が書いていたりする場合はなおさらです。このような広告は「人より得をして優越感にひたりたい」という人間の心理にはたらきかけたものので、見た人は「急いで買わなきゃ損だ」という気持ちになってしまいます。

このように、多くの人が集まっている時にその人たちと同じ行動や言動をとってしまう現象を**同調行動**（P85参照）といいます。自分が売る側である場合は、買う人に

行列に並ぶ
海外の人に比べて、日本人は行列によく並ぶといわれている。各種のアンケート調査によれば、「行列に並ぶのは好きか？」という質問に「嫌い」と答えた人は7～8割にも達しているが、その一方で「行列に並んだことがある」と答えた人は8割を超えている。行列に並ぶのが好きか嫌いかということと、行列に並ぶか・並ばないかは別物と考える必要があるようだ。

同調行動を起こさせる心理操作を行うのもひとつの手です。

ただし、あまりにも「今はこれが最も売れていて、買わないと損をしますよ」という接客を相手に押しつけるのは、顧客側の選択肢がないということになるのでよくありません。いろいろな可能性を探る中で、最終的に顧客が自ら選択するというスタンスをとった方が、満足感は高くなります。

②「高いものはいいものだ」と思わせる

一般的に、商品やサービスは安く売られていた方がお客さんの購買行動を起こさせるものです。しかし、マーケティングの分野では必ずしも「安いから買いたい」とはならないようです。

こんな実験があります。アメリカのスーパーマーケットで、同じ食パンに25セントのキャッシュバッククーポンをつけた広告と、35セントのキャッシュバッククーポンをつけた広告を配りました。25セントの広告を受け取った人は60%が食パンを買いに来ましたが、35セントの広告を受け取った人は40%しか買いに来ませんでした。

商品やサービスの本当の価値がよくわからない場合、あまりにも安すぎたり、過剰なサービスが付属していたりすると、人はその商品を買わなければならないという選択を迫られているような気分になってしまいます。すると、逆に購買行動を敬遠してしまうのです。安く売ればいいというわけではない、ということですね。

③コントラスト効果

高級ブランド店など高額の商品ばかりを扱う店に行った帰りに、いつも買い物をしているスーパーマーケットに立ち寄ると、普段は手が出ないと感じていた商品が安く

高いものはいいものだ ビールの利き酒をしたところ、味や質に関係なく高い値段がつけられたものほど高級ビールと判定されたという実験結果がある。また、売れ残った洋服に高い値札をつけておいたところ、すぐに売れてしまったという話もある。

「安いから買いだ!」とはならない

商品があまりにも安すぎたりすると、人は「その商品を買え！」という選択を迫られている気になり、圧力を感じてかえって敬遠してしまう。

食パンの実験
安すぎじゃないかしら？あやしいわね……
100円引き クーポン
30円引きなら安いわね！
30円引き クーポン

感じられることがあります。これは**コントラスト効果**と呼ばれています。

　コントラスト効果は、不動産会社や自動車メーカーの販売員がよく使う手法です。住宅を買う時、はじめに高額物件の見学に連れていかれたりするのは、コントラスト効果を利用したテクニックといえます。ただし、お客さんをあざむくような形でコントラスト効果を利用すると、かえって警戒されたり、購入を敬遠される結果になることもあるので注意してください。

　また、顧客の質問にはきちんと答え、伝わらなければ言い方を変えて伝わるまで話すことも大切です。さらに、相手になるべく近づいて話すことや（P105参照）、やや前傾姿勢で話す、相手と視線を合わせる、笑顔を絶やさないなどの**非言語コミュニケーション**（P67参照）も重要です。

コントラスト効果
すっぱいものを食べた後に甘いものを食べると甘みが強く感じられるように、非常に高額な商品Aを見た後にそれより安い商品Bを見ると、Bを普段は高額だと感じているにもかかわらず「とても安い」と感じてしまう心理的効果。ものごとを相対的にとらえがちな人間の認知特性が引き起こすものと考えられる。

テレビのCM攻勢にウンザリ、でも実は……
CMや広告の効果のほどは？

CMは繰り返し見せることに意味がある

テレビを見ていると、1日に同じCMが何度も繰り返し放映されています。いい加減ウンザリしてチャンネルを変えても、また同じCMが流れています。何度も見ているうちに、店に行った時にその商品を無意識に探してみたことはありませんか。

繰り返し見せられたものを求めるようになる心理は、**熟知性の原則**と呼ばれています。人は、**同じ対象を提示される回数が多ければ多いほど、その対象への関心や好意も大きくなる**ことがわかっています。あなたがメーカーのCM攻勢に辟易《へきえき》していたとしても、実はそのCMによってその商品を頭の中に叩き込まれているのです。

したがって、CMで商品の名前を何度も連呼したり、CMソングを何度も流すのは、熟知性の原則によって購買意欲を上げるためには効果的な手段なのです。

怖いのは、私たちはCMの効果を無自覚のうちに受けてしまうことです。アメリカのある劇場で、映画のフィルムの中に人間の目では知覚できない数コマ単位で「コーラを飲め」「ポップコーンを食べろ」といった宣伝文句を挿入して上映する実験をしたところ、実際にコーラやポップコーンの売り上げが40％も伸びたというエピソードがあります。観客は宣伝が含まれていることには気づかなくても、目はそれをちゃんととらえ、脳に送っていたのです。これを**サブリミナル効果**といいます。

サブリミナル効果は現在では疑問視される傾向にありますが、単純に同じCMを何度も繰り返す手法も、観た人が気づかないうちに好きになるようにつくられているという点では同じといえるでしょう。

熟知性の原則
ポーランド出身のアメリカの社会心理学者**ザイオンス**（P40参照）が提唱し、実験で証明した。**単純接触の原理**と同様、人でも物でも見たり聞いたりする回数が増えるにつれ、その対象への関心や好意も増加する。

サブリミナル効果
1995年、オウム真理教関連の番組内で教団代表・麻原《あさはら》彰晃《しょうこう》の顔などの画像が何度も挿入され、テレビ局が郵政省から厳重注意を受けるなど大問題になったことがある。現在ではほとんどの場合、映画やテレビなどでの使用は禁止されている。

ビジネスの基本は根回し？

人と人との力関係にはパターンがある

今年の忘年会も例の赤ちょうちんかなぁ…？
課長あそこ好きだもんな
もう少しオシャレな店に行きたいわ～
根回し開始!!
あーー そろそろ忘年会の季節だが
いつものあの店でいいよな？
いいえ!!
今年は六本木のワインバーでお願いします!!
!?

人が集まれば人間関係が生まれる

会社やグループなど、組織の中で多くの人に自分の考えに同調してもらうためには、事前に「自分に賛成するように」と依頼しておくと、よりスムーズに事が運びます。これが**根回し**です。会議の前などにこれをやっておくと、絶大な効果を発揮します。「ビジネスの基本は根回し」と言われるゆえんです。

根回しは、グループ内の力関係を読んでから行動するのが基本です。この力のしくみを知るためにはどうしたらいいのでしょう。実は、それを心理学的に分析する方法があります。**ソシオメトリック・テスト**という方法です。

ソシオメトリック・テストは、ルーマニア出身でアメリカの精神分析医**モレノ**の提唱した**ソシオメトリー**という考え方にもとづいています。人が一定数以上集まれば、仲がよい人や悪い人が生まれます。誰と誰とが仲がよくて、誰と誰の仲が悪いのか、ということを体系的に図式化したり数量的に表現することによって、集団の構造や集団内部の力学を明らかにすることができるのです。

ソシオメトリック・テストは、まずグループや組織のメンバーに自分が惹かれる人、選択したいと考える人、反発したくなる人などをそれぞれ紙に書かせます。次に、それをもとにグループの構造を知り、どの点を改善すれば組織がうまくいくかを分析します。その分析の際、テストの結果をまとめるのに使われるのが**ソシオグラム**です（P118参照）。ソシオグラムを見れば、組織の中で誰が人気があり、誰が孤立しているのかがひと目でわかります。

モレノ
（1892～1974）
ユング（P167参照）の弟子にあたり、ユダヤ人であったためナチスドイツの迫害を受け、アメリカに移住した。集団心理・集団療法の分野で高く評価され、サイコドラマ（患者の集団に、ある題の劇を即興で自由に演じさせ、自然に心の内部が表現されるようにする集団精神療法）の創始者としても知られる。

ソシオグラムで人間が明らかになる

ある集団の中で、どのような仲よしグループがあるか、孤立した人はいるか、最も人気のある人は誰か、などがわかってくる。

■①は誰からも好かれているので、**人気者**

■④は①②③から**拒否されている人**

■⑤は誰からも相手にされていないので**孤立している**が、自立している人ともいえる

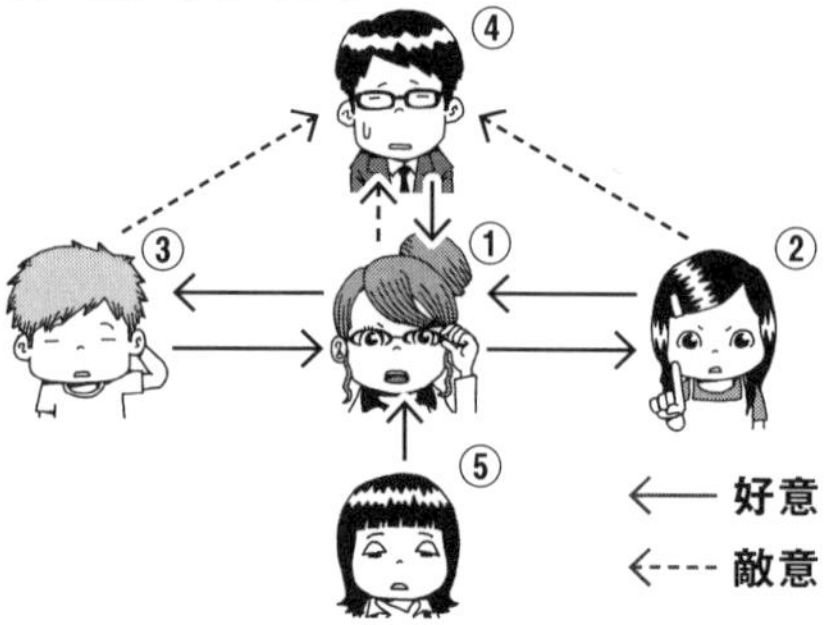

最も効率のよい組織のかたちはどれ？

ソシオグラムでグループや組織の人間関係がわかれば、組織内の力関係が把握でき、どのように組織を動かしていけばいいかがわかってきます。

例えば、頼みごとをしたい時には、組織の中で人気のある人に相談して味方になってもらい、他の人たちに協力を呼びかけてもらうとうまくいきます。2～3人で組んで行動する時には、仲の悪い者どうしを避けることもできます。また、みんなに嫌われていて孤立している人がいる場合は、事前に誰かに協力を依頼して組んでもらうといった根回しもできます。ソシオメトリック・テストは、組織内で余計な衝突を回避することもできる優れた方法なのです。

さらに、グループや組織など集団を構成

ソシオグラム
インターネットが普及した現代社会では、ツイッターやフェイスブックなどのソーシャル・ネットワーキング・サービス（SNS）が人気だ。友人や知人をフォローしているか、どれだけ多くの人からフォローされているかなど、対人関係をウェブ上で可視化できるSNSも、ソシオグラムの一種と考えることができる。

するメンバーどうしのコミュニケーション・ネットワークを研究したのが、アメリカの心理学者**リービット**です。リービットは5種類の小集団を想定し（下図参照）、このパターンにしたがって構成された5人のメンバーからなる集団の作業効率や作業への満足度を測定しました。

その結果、小集団はそれぞれのパターンによって、ある一定の特徴がみられることがわかりました。5つのパターンにはそれぞれ長所と短所がありますが、**車輪型だけが短所がなく、作業効率が最もスムーズ**であることが証明されたのです。

なお、オールチャンネル型はリーダーから他のメンバーに向けて情報が同時に届けられる構造で、これは現実では不可能な議論上のパターンとされてきました。しかし、近年はインターネットの登場で可能になったとされています。

組織のコミュニケーション・ネットワークいろいろ

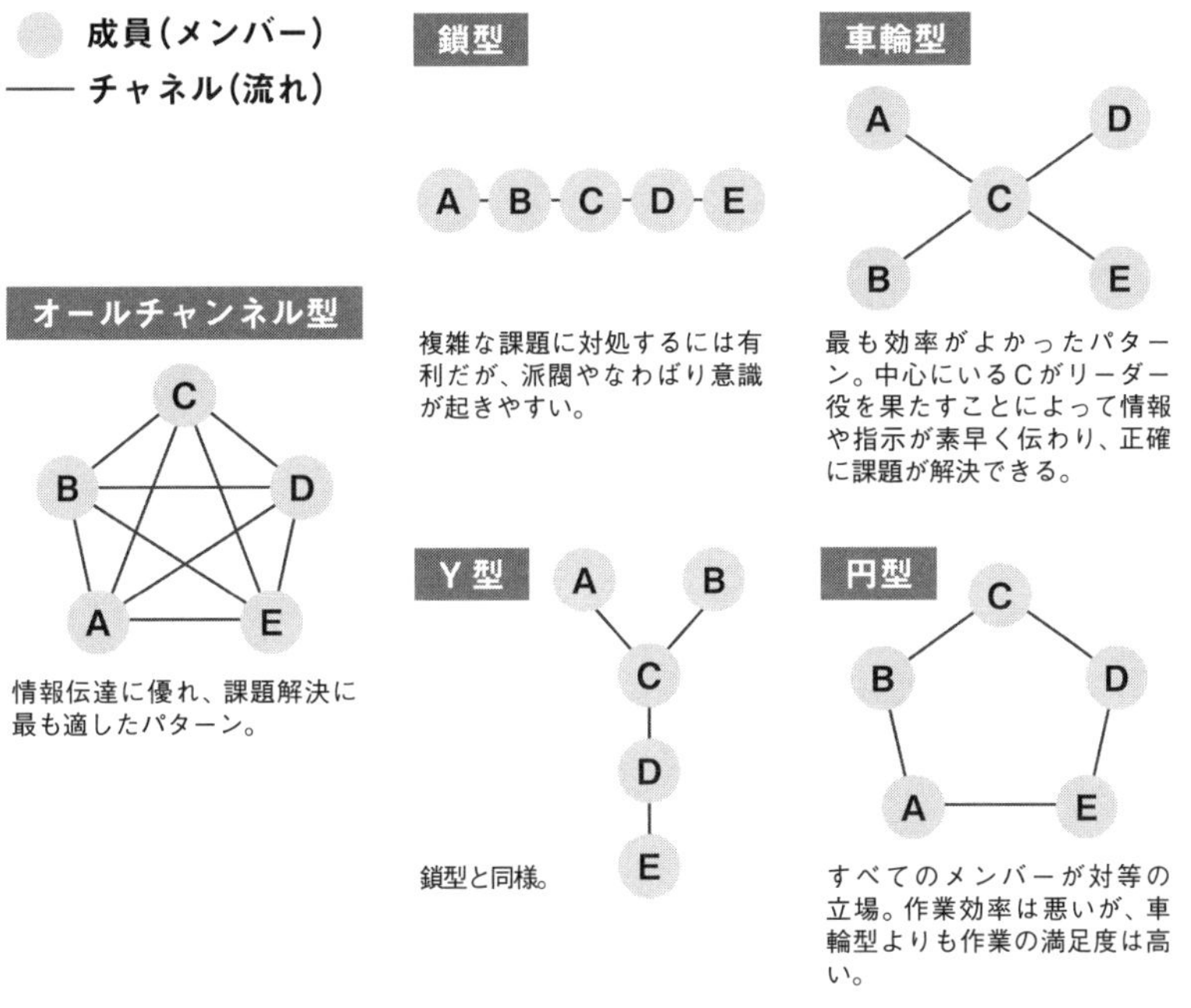

鎖型：複雑な課題に対処するには有利だが、派閥やなわばり意識が起きやすい。

車輪型：最も効率がよかったパターン。中心にいるCがリーダー役を果たすことによって情報や指示が素早く伝わり、正確に課題が解決できる。

オールチャンネル型：情報伝達に優れ、課題解決に最も適したパターン。

Y型：鎖型と同様。

円型：すべてのメンバーが対等の立場。作業効率は悪いが、車輪型よりも作業の満足度は高い。

2つの話し方を場の雰囲気で使い分け

自分の意見を認めさせるには？

プレゼン会議にて
●●であります から…
つまり■■な ワケで…
しかし▲▲な 場合も…
こいつ いったい何が 言いたいんだ？
イラ イラ イラ イラ イラ イラ イラ
さっぱり わからん
結論を先に 言えよ!!
15分後
さて、いよいよ 結論ですが…
よーし、決めるぜ クライマックス!!
ガーン!!
全員 寝てるし!!

クライマックス法とアンチ・クライマックス法

あなたは、相手に自分の意見を認めさせるのが得意ですか。会議で多数を占める意見を退けて自分の意見を認めさせたり、プレゼンで当初はまったく興味を示さなかったクライアントから契約を取ったりできたら、ビジネスマンとしての株も上がります。自分の意見を通すための秘訣があるとしたら、知りたいと思いませんか。

一般的に、クライアントへの対応が上手な人は**場の空気を読むのが上手**な人が多いといわれています。このタイプの人は観察力や注意力が優れているので、瞬時に相手の心理や場の雰囲気を読んで話を有利に進めることができるのです。

また、このような人はコミュニケーション能力も高く、相手の興味に合わせて話し方や話題を変えることができます。相手の興味をそらさないためには、**クライマックス法とアンチ・クライマックス法**という2パターンの話し方を使い分けるという方法があります。前者は、先に説明をしておいて最後に結論を述べる方法で、後者は先に結論を言っておいて後から説明を加える方法です。

クライマックス法で話しかけてくる相手にはクライマックス法で話し返すのが、アンチ・クライマックス法にはアンチ・クライマックス法で返すのが効果的といわれています。また、**クライマックス法は相手がこちらの話に興味を持っている時に、アンチ・クライマックス方は相手が話を聞く準備ができていなかったり、こちらの話に興味がなさそうな時に有効**とされています。

前者は面談や面接、後者はプレゼンなどで効果を発揮することが期待できます。

クライマックス法とアンチ・クライマックス法
本文で紹介したほか、クライマックス法で話しかけてくる相手にはクライマックス法で話し返すのが、アンチ・クライマックス方にはアンチ・クライマックス法で返すのが効果的といわれている。また、前置きや形式にこだわる人や、人の話を粘り強く聞く人などはクライマックス法を、論理的・合理的な考え方をする人はアンチ・クライマックス法を好むといわれている。

会議で座る席で心境がわかる

座る場所を選んで会議をリードしよう

ミーティングにて
入り口
お前いつもその席だよななんで？
いや別になんとなくだけど…
さてこの案件なんだが…
なにか突破口になりそうなアイデアはないか？
どうだD之内？
ドキッ
ええっ僕!?
ちょっとトイレに…
そろ〜〜〜り…
逃げるためかよっ!?

どの席に座るかで会議の流れも変わってくる

会議やミーティングの際、あなたはいつもどの席に座ろうとしますか。実は、どこの席に座るかという行動には参加者の心理が反映されることがわかっています。

例えば、**いつも入り口近くの席に座る人は、会議に出席すること自体に不安を抱えている**ことが多いようです。このような人は、何かあったらすぐに逃げ出すことができるように、無意識のうちに入り口近くの席を選んでしまいます。会議で本当に逃げるつもりではないにしろ、入り口に近いところにいることで不安を解消しようとしているのです。

また、**会議では座る位置によって、その人にさまざまな役割が与えられる**ことがあります。例えば、長方形のテーブルを使った会議（P124参照）の時、全体が見渡せるAやEの席に座る人はリーダーで、会議をリードして、てきぱきと議題を処理していきます。あらかじめ決まっているリーダーや会議をリードしたいと思う人は積極的にこの席を選び、逆にリーダーになりたくない人は座るのを避けようとします。

CやGの席にもリーダーが座る場合がありますが、両隣を人と接しているこの席は対人関係を重視するタイプの人が座る席だとされています。AやEにリーダーが座り、CやGにサブリーダーやリーダーの腹心の部下が座ると、会議がスムーズに運ぶとされています。なお、ブレインストーミングのような全員参加型の会議では、CやGにリーダーが座った方が活発に意見が出てうまくいくといわれています。残りのB・D・F・Hは、会議に積極的に参加したくない人が座る席です。

会議の流れ
心理学の実験によれば、会議で使う部屋の大きさや、参加メンバーが男性か女性かでも、会議の結論が違ってくるという。実験で模擬裁判を行ったところ、男性だけで構成された陪審員グループでは大きい部屋よりも小さい部屋で審議した方が厳しい判決が下された。一方、女性だけの陪審員グループでは大きい部屋で審議した方が判決が厳しくなった。小さく混み合った部屋で討論すると男性は競争的・攻撃的になるので、本音で議論するならお互いの体が接近する小さい部屋を、会議を形式的に終わらせるなら大きい部屋を使った方がよい（参加者が女性だけの場合はこの逆）ということになる。なお、男女混合の場合は部屋の大きさによる違いは認められなかったという。

テーブルの座る位置で会議の流れが決まる

会議やミーティングでどの席に座るかで、その人の資質が見えてくる。また、座り方次第で会議が円滑に進むこともある。

円形のテーブル

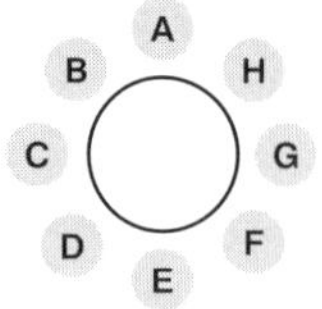

丸いテーブルは位置によって力関係が発生せず、意見が自由に出やすい。ブレーンストーミングなど全員参加型の会議に向いている。

長方形のテーブル

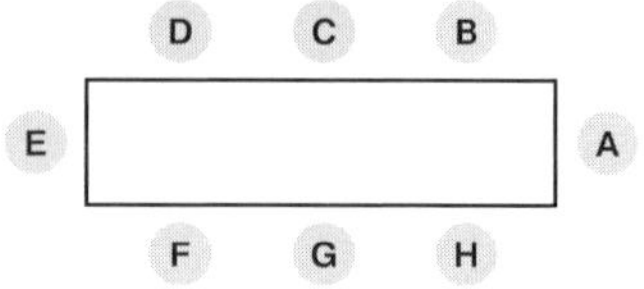

AやEの席は全体が見渡せる上に注目が集まりやすいので、リーダーが座る傾向にある。CやGには、リーダーの補佐役が座ることが多い。

正面に座った相手には警戒すべし

会議の時に座る席と同様、**1対1の場合でも、座る席によって相手の深層心理を探ることができます。**

P125のAのように、テーブルの角をはさんで斜め向かいに相手が座るのは、1対1の座り方としては最も一般的といえます。これは相手がリラックスしていて「気軽な雑談がしたい」という気持ちが表れています。Bのように2人並んで座る場合は、「2人で協力して何かをしたい」という気持ちの表れです。

Cのように向かい合って相手が座る場合は、説得や謝罪などの改まった話をする時の座り方で、お互いに対立している時にもこの位置に座ったりします。Dは、会話を避けようとする場合の座り方です。この位

会議のテクニック
会議を有利に進めるためには、こんな方法もある。アメリカの心理学者**ラズラン**は、人間の脳は気持ちのいい体験をした時のことはよく覚えているので、楽しい時間や美味しい食事はその時の記憶とともによい印象として残ることを発見した（**連合の原理**）。これを利用して、会議や交渉を軽い食事をとりながら行うことで自分に有利に進行させることができる。この方法を**ランチョン・テクニック**という。高級レストランや料亭で会合を開くのも、ランチョン・テクニックの一種といえる。

置に相手が座ったら、「あなたとは話をしたくない」など、何らかの不自然な意図があると思ってください。

小集団の生態の研究で知られるアメリカの心理学者**スティンザー**は、会議などの集団行動の中に、①かつて口論した相手が会議に参加している時はその相手の正面に座りたがる、②ある発言の次に行われる発言は多くの場合は反対意見である、③リーダーシップが弱い時は向かいに座った者どうしで、強い時は隣どうしで私語が発生する、といった現象がみられることを発見しました。これらは**スティンザー効果（スティンザーの三原則）**と呼ばれています。

あなたが会議に参加する時には、正面に座った人の言動にはなるべく注意をし、あなたが支持している人が発言をした直後には自分が発言をして、反対意見が出ないように援護射撃をしておくとよいでしょう。

テーブルの座る位置で相手の心理がわかる

Ⓐ お互いにリラックスして会話ができる、最も一般的な位置。

Ⓑ 2人が共同で仕事をしようとする時に座る位置。

Ⓒ 相手を説得する時など、改まった話をする場合の位置。

Ⓓ 個別に仕事をしたい時、あるいは会議を避けようとする気持ちの表れ。

自分はどんなイメージを持たれている?

第一印象はとっても大事!

明日のお見合い気合い入れてお化粧しなさいよ
あなたいっつも地味すぎるんだから!!
人間やっぱり第一印象が大事よね…
よーし!!
本日はよろしくお願いします
お願いします
でーーん!!
ウフ♥
ぎょっ!!!

その人自身も変えてしまうラベリングの力

初対面の人と会う時、あなたは相手に対して何かしらイメージを持つはずです。それが**第一印象**ということになりますが、第一印象はほぼ見た目（視覚）で決定づけられます。そして、それがその後の人間関係にまで影響を及ぼしていくこともあるので、とても重要なものなのです。

「第一印象は会って3～5秒で決まる」などといいますが、第一印象で相手に悪い印象を持たれてしまうと、その印象が後々まで残るともいわれています。最初に定着したイメージが、その人全体のイメージを決定してしまうのです。この現象を心理学では**初頭《しょとう》効果**といいます。

また、人は初対面の人に出会った時、その人のイメージを定着させるため、無意識のうちに相手にレッテルを貼ってしまう傾向があります。これを心理学では**ラベリング**といいます。

ラベリングは単なる印象というだけでなく、ラベリングされた人自身が、貼られたレッテルと同じように変わってしまうこともあります。例えば、Aさんという人がたまたまだらしない服装をしていたため、初対面の人たちが「Aさんはだらしない人」という第一印象を持ったとします。すると、Aさんがきちんとした服装をしても、一度レッテルを貼られたAさんは以後もだらしない人と思われてしまいます。

他人に貼られたネガティブなレッテルが定着してしまうこともあるので、やはり第一印象はとても大事だということですね。ただし、不用意なラベリングはその人への偏見や差別につながるので、むやみにするべきではありません。

初頭効果
アメリカの心理学者**アッシュ**は、次のような実験でこれを実証した。
①架空の人物について、その特徴を「知的・勤勉・衝動的・批判力がある・強情・嫉妬《しっと》深い」と被験者によい評価から読み上げた。
②別の被験者にはその特徴を逆の順番（悪い評価から先）で読み上げ、どのように印象が変わるかを調査した。
③その結果、前者は「多少欠点はあるが、能力に恵まれた人物」であったのに対し、後者は「能力はあるが、欠点が多いため本来の能力が発揮されていない人物」という印象に変わった。

ラベリングの効果

2回の試験での合計点は2人とも同じだが、1回目の試験での好成績が「B子は優秀」という印象を与えたため、2回目の試験結果の印象が違ったものになる。

	B子	A野
試験1回目	95点	74点
第一印象	頭がいい	そこそこ
試験2回目	66点	87点
2回目の印象	たまたま調子が悪かったのかな？	ああ、前よりはがんばったんだ
合計	161点	161点

第一印象は親近効果で変えられる！

それでは、第一印象を決める要因はいったい何なのでしょう。人物の印象を決定づけるための概念としてよく知られている**メラビアンの法則**によれば、第一印象に最も影響を及ぼすのは、その人の表情や態度だといいます。

身もふたもない話かもしれませんが、やはり「人の印象は見た目で決まる」ということです。「見た目よりも中身が大事」とはいいますが、面接や商談の際にはそれは建て前だと割り切って、自分の見た目をよくすることを第一に考えましょう。

見た目がよいというのは、何もルックスがよいということではありません。大事なのは服装や姿勢だけでなく、顔つきや目つきもそうです。したがって、**初対面の人に**

メラビアンの法則
アメリカの心理学者**メラビアン**が、初対面の人と会った時に受ける印象を決定づける要素が何であるかを実験で調べたところ、見た目や表情、しぐさ、視線などの視覚情報が55％と最も大きく、声の質や大きさ、話す速さなどの聴覚情報は38％、言葉や話の内容など言語情報は7％にすぎないことがわかった。

よい第一印象を与えるためには、きちんと身なりを整えて、笑顔を絶やさずに相手の目を見てよい姿勢をキープしつつ、落ち着いてハキハキと話すことが大事なのです。相手が喜ぶような話をすることは二の次と考えてください。

ところで、第一印象で定着してしまったイメージを後で塗り替えることはできないものでしょうか。一度ついてしまったイメージを一新するのは難しいことではありますが、決して不可能ではありません。**第一印象は変えられる**のです。これは、アメリカの心理学者**ルーチンス**の実験によって証明されています。

ルーチンスは、ある人が内向的な性格であるかのような文章を被験者に読ませ、次にその人が外交的な性格であるという文章を別の被験者に読ませました。被験者にその人の印象を聞いたところ、最初の文書を読んだ被験者は「内向的な人」と評価する人が多かったのに対し、2番目の文章を読んだ被験者は「外交的」と答えた人が多くなりました。しかも、外交的であるという文章だけを読ませた場合よりも、先に内向的であるという文章を読んだ人が後で外交的な性格という文章を読んだ場合の方が、外交的だと感じる人の割合が高かったという結果が得られました。

この実験結果からは、**最初の印象と後の印象が違う場合、後の印象の方がより重視される**ことがわかります。これを心理学では**親近効果**といいます。

第一印象は確かに大事ですが、たとえ初対面の時に相手によい印象を与えられなかったとしても、決してあきらめないでください。その後に与える印象次第で、一度ついてしまったネガティブなイメージを覆《くつがえ》すことができるのですから。

親近効果
親近効果を提唱したオーストラリア生まれの心理学者**メイヨー**によれば、人間観察力が鋭い人ほど初頭効果が表れやすく、観察力があまりない人ほど親近効果が表れやすいという。観察力の鋭い人は第一印象で相手の特徴や性格を見抜く確率が高いので、後からそれを覆すような事態が起きてもずっと最初の印象を持ち続けてしまうからだ。

人にやる気を起こさせる心理学

部下の成績を伸ばすには？

人間には3つのタイプがあります!!
①ほめられて伸びるタイプ
かわいいね
キレイだよ
②叱られて伸びるタイプ
ダメじゃないか
もっとがんばれ
③ほめても叱っても伸びないタイプ
勝手にしなさい
オイッ!!!

期待に応えようとする心理を利用

あなたは、上司や学校の先生からほめられて伸びるタイプでしょうか。それとも、叱られた方が伸びるタイプですか。ほめて伸ばすのと叱って伸ばすのでは正反対のような気もしますが、実はこの2つは同じ心理を利用したものなのです。

人は誰でもほめられると、たとえお世辞だとわかっていてもうれしくなるものです。ほめられ続けると「自分には力がある」と思えてきて、自分の能力に期待するようになります。すると、自分が期待する結果になるように意識して、あるいは無意識のうちに本当に能力が上がっていくのです。これを**自己成就予言**といいます。

自分自身への期待とは別に、上司からの期待に応えようとして以前より仕事に励み、結果として成績が上がる場合もあります。上司が部下を信頼して期待をかけることで、部下もその期待に応えようとして努力するのです。これは**ピグマリオン効果**と呼ばれています。自己成就予言もピグマリオン効果も、**ほめることで部下の心理を刺激してやる気を起こさせ、成績を伸ばす**という共通点があります。

ほめるより叱った方が伸びるというタイプの人も、ほめられて伸びる人と同様の心理がはたらいています。叱られたことで「上司に認められたい」「名誉挽回して見返したい」と思うようになり、結果としてより一層仕事に打ち込むのです。

ほめて伸ばすのか叱って伸ばすのか、それは部下のタイプによるので、どちらがいいとは一概に言えません。ただ、人の心理を適度に刺激して能力を発揮させるという点では、どちらも有効な手段なのです。

自己成就予言
ある出来事が起こると予言してから行動すると、本来は起こり得ないはずのことでも起こってしまうことがある。上記は自己成就予言がポジティブにはたらくケースを紹介したが、ネガティブな方向にはたらくケースもある。

ピグマリオン効果
親や教師に期待をかけられると、子供の成績が実際に向上する心理的効果。ピグマリオンとはギリシャ神話の登場人物で、自らが理想とする女性の彫像に恋をしてしまう。彼の期待は女神アフロディーテによって叶えられ、彫像は本物の女性になったという逸話に由来する。

COLUMN 02

洋の東西を問わず“7”は特別な数字

ラッキー7《セブン》と心理学

数字の7は「ラッキーセブン」といい、主に英語圏では幸運の数字とされています。試合を決定づけるイニングになることが多いとされる野球の7回の攻撃や、スロットマシーンのスリーセブンなどは、ラッキーセブンの代表格といえます。

日本でも、七という数字が好んで使われる傾向にあります。七が使われていることわざや言い回しには「親の七光」「七転八起《ななころびやお》き」「なくて七癖」などがありますが、これらの七はいずれも「数えられる程度の」といった意味で使われていることにお気づきでしょうか。なくて七癖の「七」は「どんな人でもいくつかの癖を持っている」ということで、実際に七つの癖を持っているという意味ではありません。一方、七よりひとつ上の八という数字が使われる言葉には、「八百屋《やおや》」「大江戸八百八町《はっぴゃくやちょう》」「傍目八目《おかめはちもく》」などがあります。これらの八には「数えられないほどたくさん」という意味が込められています。江戸には808の町があったわけではなく、それだけたくさん町があったということです。

面白いことに、これは心理学でも証明されています。アメリカの心理学者ミラーは、7という数字を「マジカルナンバー」と呼びました。ミラーによれば、人が短期的に記憶できる限界の数は7までなのだといいます（プラスマイナス2の誤差あり）。つまり、7以下にまとまったものは覚えやすく、8以上になると多すぎて理解しづらくなります。

ですから、あなたもレポートなどを提出する時は、まず問題点を7つ以下に絞って整理してみるといいでしょう。ラッキーセブン…いや、マジカルナンバーのご利益《りやく》で、きっとうまくいくはずです。

第3章 自分のこころがわかる

1章では他人の心を解明していきましたが、3章では自分のこころを解明していきます。

あなたは自分自身のこころがわかっていますか?

自分のこころがわかれば、生き方もだいぶ楽になるはずです。

第3章 自分のこころがわかる

本当に自分がわかってる？

まだ気づいていない自分自身に気づく方法

お前、いつも強がってるけど
意外と弱いとこあるよな…
バチーン!!
地上最強の女に
なーに言ってんの!!
…とは言ったものの一瞬ドキッとしちゃった
当たってんのかも…
はっ!! これってもしかして使える!?
私ってばダメな女…
しなっ…
気弱なB子ちゃんもいい～♡
ギャップ萌え!!

未知の自分自身に気づくのは成長のチャンス

よく「自分のことは自分が一番よくわかっている」などと言いますが、本当にそうでしょうか。実は、よくわかっているようで意外とわかっていないのが、自分自身のことなのです。

例えば、身近な人から自分でも気づいていなかった癖や欠点を指摘されて、思わずドキリとしたりカチンときた経験はありませんか。このように、他人から見たあなたの性格や特徴が、あなたが自分自身で思っているものとずいぶん違っていることもよくあることです。

しかし、気にする必要はありません。自分では気づいていなかった自分自身の本当の姿を、他の人がわざわざ教えてくれたのです。言い換えれば、これは私たちは他人とのかかわり合いの中で新しい自分に気づき、自分を成長させていくことができるということです。むしろ、新しい自分自身を発見できるいい機会なのだと前向きにとらえましょう。

自分が気づいていない性格を教えてくれるのが、**ジョハリの窓**と呼ばれるグラフモデルです。これを用いれば、対人関係を通じて自分自身を客観的に見ることができ、また今まで気づいていなかった隠れた自分を見つけ出しやすくなります。

ジョハリの窓は、自分自身をひとつの大きな窓として考えます。**この窓は、自分と他人がわかっている部分（A）、自分にはわかっていないが他人はわかっている部分（B）、自分はわかっているが他人にはわかっていない部分（C）、自分にも他人にもわかっていない部分（D）という4つの窓で構成されています**（P137参照）。

ジョハリの窓
アメリカの心理学者**ルフトとインガム**が考案した。正式名称は「対人関係における気づきのグラフモデル」だが、2人のファーストネームであるジョセフ（ジョー）とハリーをとって、このように呼ばれる。

ジョハリの窓の“開放の窓”を広げよう

さて、Aの領域は自分も他人も知っている、いわば開放された自己の部分です。これを**開放の窓**と呼びましょう。同じように、Bの領域は自分では気づいていないので**盲点の窓**、Cの領域は他人には知られていないので**秘密の窓**、そしてDの領域は自分も他人も気づいていないので**未知の窓**としましょう。

もし、**あなたが人間関係に悩んでいるのだとしたら、開放の窓を広げていきましょう**。開放の窓を広げるということは、自分にとって盲点だった自分自身の長所や短所を他人から教えてもらったということを意味しています。

また、自分しか知らなかった自分自身のプライバシーを他人に話すことで、同時に相手の信頼を得やすくなります。これを**自己開示**といいます。その結果として、適切で安定した良好な人間関係が築かれることが期待できるのです。

開放の窓を広げると、他の3つの窓は当然狭くなります。盲点の窓、秘密の窓が小さくなればなるほど、未知の窓にも光が当てられるようになります。そうすると、今までは気づかなかった潜在的な自分を発見でき、自分自身の可能性が広がるのです。

ですから、あなたもできるだけ多くの人とつき合うように心がけ、開放の窓を広げて自己の領域を拡大し、欠点などを指摘してくれる友人などを大切にすることで盲点の窓を狭め、自分のことをできるだけオープンにして秘密領域を狭めていくようにしましょう。そうすれば、自分自身をより深く理解するだけでなく、大きな可能性を見出すことにもつながっていくのです。

自己開示
心理学で、自分の個人的な情報を相手にありのままに伝えることをいう。自分が自己開示すると、相手にも「そこまで話してくれたのだから自分も話そう」という心理が生じ、相手も同程度の自己開示をするようになる。これを**自己開示の返報性《へんぽうせい》**という。

隠れた自分自身を教えてくれるジョハリの窓

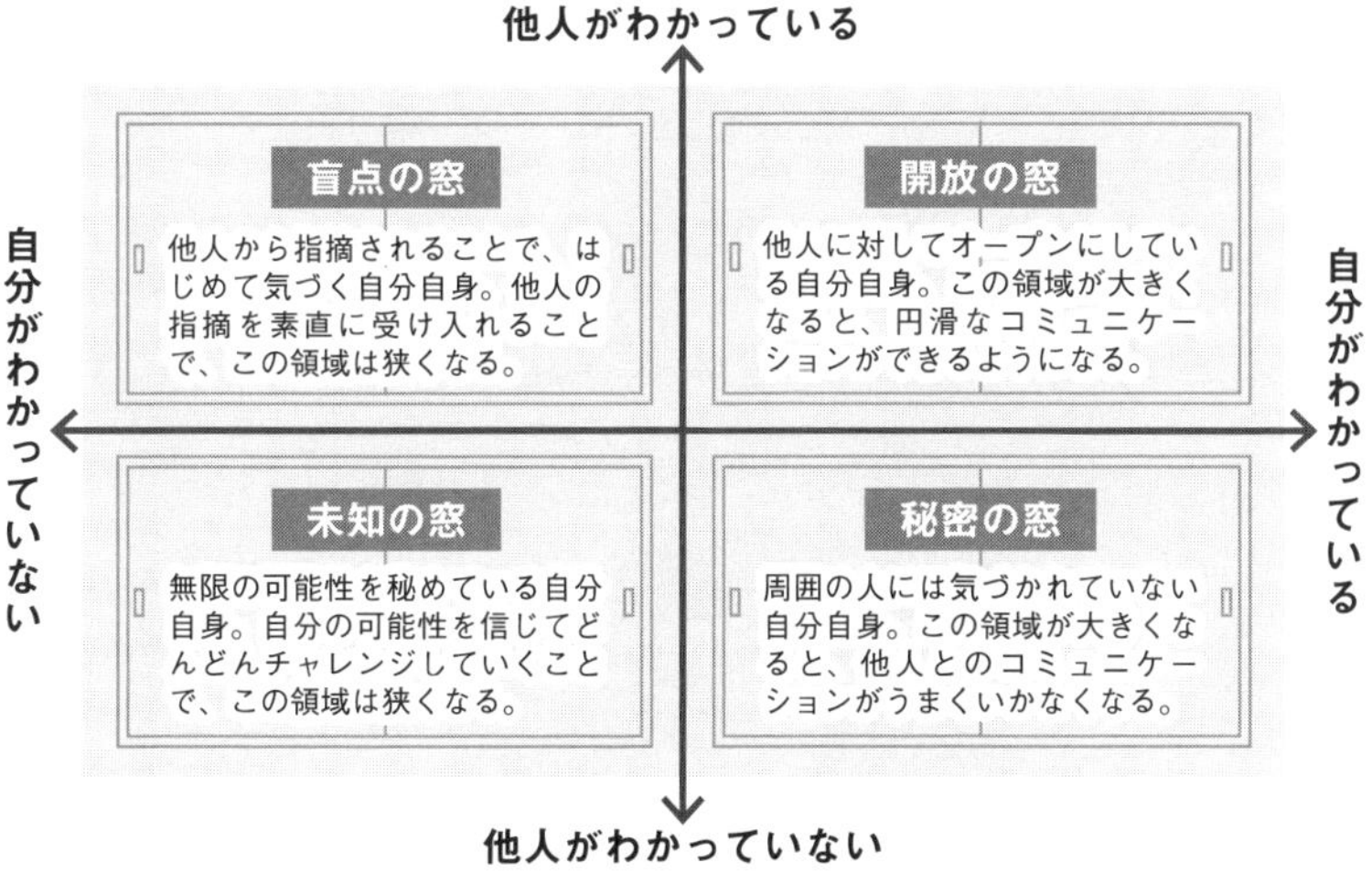
他人がわかっている
盲点の窓
他人から指摘されることで、はじめて気づく自分自身。他人の指摘を素直に受け入れることで、この領域は狭くなる。
開放の窓
他人に対してオープンにしている自分自身。この領域が大きくなると、円滑なコミュニケーションができるようになる。
自分がわかっていない
自分がわかっている
未知の窓
無限の可能性を秘めている自分自身。自分の可能性を信じてどんどんチャレンジしていくことで、この領域は狭くなる。
秘密の窓
周囲の人には気づかれていない自分自身。この領域が大きくなると、他人とのコミュニケーションがうまくいかなくなる。
他人がわかっていない

ジョハリの窓は、人間の自己の領域を格子窓のようなものとし、
4つの窓（領域）に分けて図式化したもの。

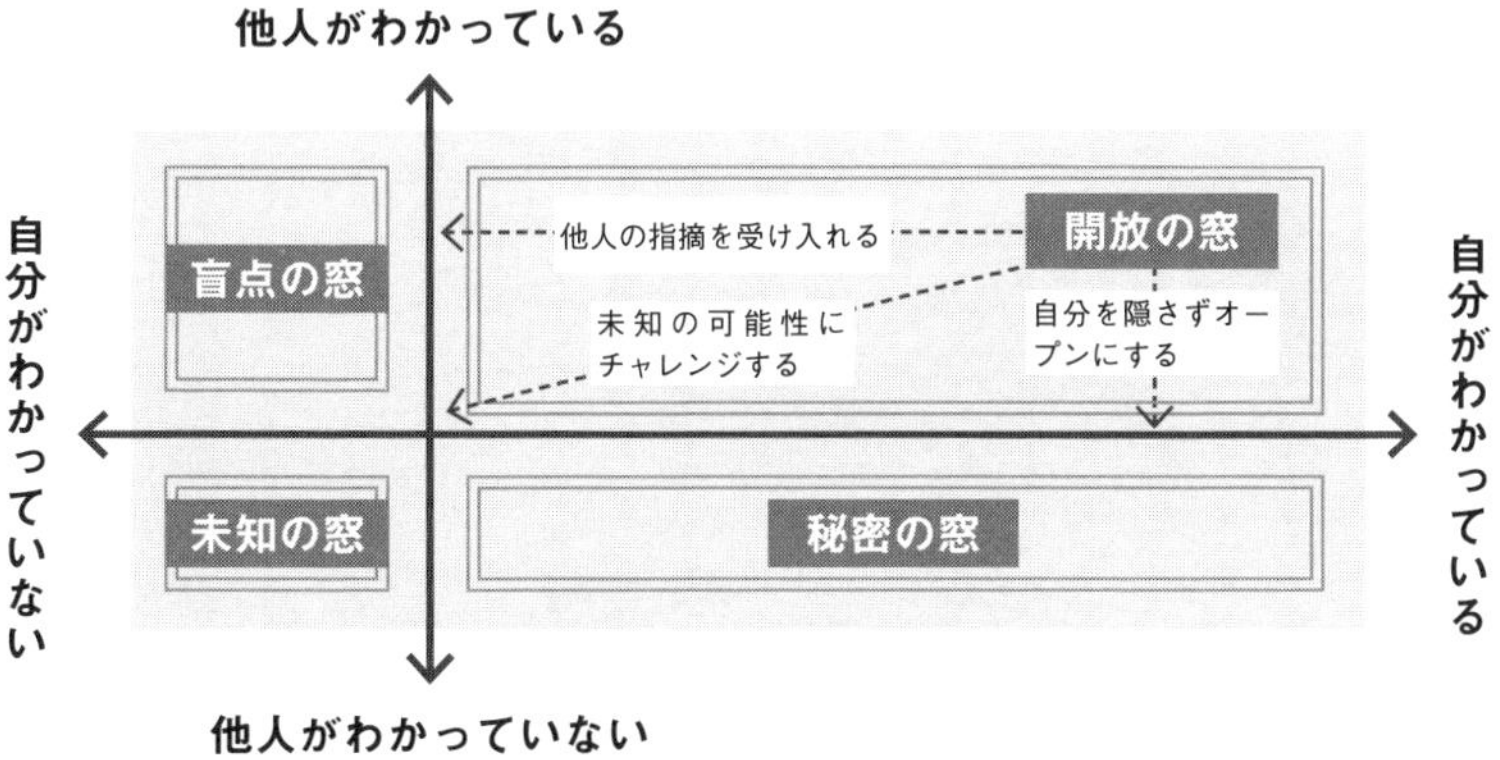
他人がわかっている
自分がわかっていない
自分がわかっている
盲点の窓
他人の指摘を受け入れる
開放の窓
未知の可能性にチャレンジする
自分を隠さずオープンにする
未知の窓
秘密の窓
他人がわかっていない

開放の窓を広げると、他人と良好な関係を築くことができる。

人間関係に悩んだ時には、開放の窓を広げるといいのよ。そうすることで、自分でも気づかなかった無限の可能性を引き出すこともできるの！

人間の耳は実に都合よくできている
聴きたい声だけ聞こえる

こんにちは～
お花をお届けに来ました！
ご苦労さま
こちらに置きますね…
いつも花の配達に来てる子かわいいよなー
あのひかえめな感じがいいんだよ!!
……
お前、デート誘っちゃえば？
ちょっと!!
お代はいくらですか!?
トロ～ン
彼氏いたりすんのかな～？
←全然聞こえてない

聴きたくない音は聞こえない カクテルパーティー効果

有名な歌人・石川啄木《いしかわたくぼく》が詠《よ》んだ歌に「ふるさとの　訛《なまり》なつかし　停車場の　人ごみの中に　そを聴きにゆく」というものがあります。「東京の駅にいると地方のさまざまな訛が聞こえてきて、故郷がなつかしく感じられた」という意味です。

駅の雑踏の中で人の声を聴き取るのはかなり大変ですが、啄木が詠んだように、どうしても聴きたい声は不思議と聞こえてくるものです。これを心理学では**カクテルパーティー効果**といいます。カクテルパーティーの会場は満足に話もできないほど騒がしいものですが、どんなにうるさくても親しい友人とは話ができたり、好きな人の声だけを拾い出せたりします。人は、**自分が聴きたいと思う音ははっきりと浮かび上がらせ、聴きたくない音やさほど重要でない音は雑音の中にまぎれ込ませて聞こえないようにしてしまえる**のです。

自分が参加した会議を録音して後で再生してみると、それがよくわかります。そこにいた時には確かに聞こえたはずの発言者の声が雑音にかき消されて聞こえなかったり、まったく気にならなかった椅子を動かす音やペンを置く音などがいやに大きく聞こえたりします。これも、カクテルパーティー効果によるものです。

もし、あなたの声が小さすぎるわけでもなく周囲が騒がしいわけでもないのに「えっ、何ですか？」と何度も聞き返されるようなら、それは相手があなたの話を聴く気がない（聴きたくない）か、話に興味がないという証拠です。こんな時は、話をする前に「〇〇さ～ん」と名前を呼ぶなど、相手に注意を向けさせる工夫が必要です。

カクテルパーティー効果
雑音の多い場所でも相手の声を聞き分けることができる現象。これは、脳が無意識に必要な音とそうでない音を情報処理しているために起こるとされる。

人間の目も実に都合よくできている

見えているのに見えない

えーと アルマゲドン アルマゲドンっと・・
あった!!
借りてきたよ～
よーし 久々に思いっきり泣こうぜ!!
ん… こんなストーリーだったっけ?
うわっ CG しょぼっ!!
おかしいな～…
げっ!! 『アルマゲドン』じゃなくて『アルゲマドン』!?
ちくしょー バッタモン つかまされた!!

多少違っていても脳の補正機能で認識できる

「しじんゅく」「あばきはら」という言葉をパッと見て、あなたは何を思い浮かべますか。多くの人が、これは「新宿」と「秋葉原」のことだと理解するでしょう。

心理学の実験でよく使われる道具のひとつに**瞬間露出器**というものがあります。これは、絵や文字をごく短時間（ほとんど瞬時）だけ見せて、その絵や文字が見えたかどうか、どんなふうに見えたかを調べるものです。瞬間露出器を用いた実験では、被験者がよく知っている言葉や絵ほど短時間で認識されることがわかっています。

それどころか、絵が多少不完全なものでも、人の脳はそれが人に似ていれば人に、飛行機に似ていれば飛行機に見えるという具合に、**足りない部分を補完して認識することができる**のです。これを**脳の補正機能**といいます。だから、毎日利用する駅の名前などその人がよく知っているものであれば、語順が多少違っていても正しく読めてしまうのです。

一方、例えばセックスに関することなど、見る対象をタブー視されている言葉や絵にして短時間だけ見せた場合は、普通の言葉や絵の時よりも正しく認識するのに時間がかかることもわかっています。普通の言葉の時よりも長い時間をかけて見ないと「見えない」ものになってしまうのです。これは、実際には「見えている」にもかかわらず、その人の脳の中で「これはいけない言葉だ」という抑制がはたらき、見えなくさせているのだと考えられます。

人間の目はカメラと同じではなく、脳のはたらきによって見えているものが見えなくなってしまうこともあるのです。

瞬間露出器
視覚刺激を1000分の1秒程度の短時間で被験者に与えることができる装置で、広告物の文字・図形などの見え方、認知に必要な時間などを調べる際に用いられる。タキストスコープともいう。

第3章
自分のこころがわかる

なりたい自分になるには？

人生は舞台、人はみな演技をしている

ボクはなまけ者のA野くん!!
ボクは働き者のD之内さん!!
なまけろなまけろ!!
働け働け!!
一週間後
仮面生活
終了〜!!
ポ〜〜イ
ハッ!?

キャラクターとパーソナリティの違い

同じ環境の下で暮らしていても、あまり気にせず前向きに生きている楽観的な性格の人もいれば、将来に不安を感じつつ生きている悲観的な性格の人もいます。あなたはどちらの性格の人でしょうか。

そもそも、**性格**とはいったい何のことなのでしょうか。心理学でいう性格とは、**キャラクター**と**パーソナリティ**という2つの言葉の訳語です。この2つは「性格」と訳されるために同じ意味として用いられることも多いのですが、実はニュアンス的には大きな違いがあります。

キャラクターは、もともとはギリシャ語で「刻み込まれたもの」「彫りつけられたもの」を意味する言葉で、先天的な特性を重視しています。

一方、パーソナリティは日本語では「人格」と訳されることが多いのですが、心理学でいうパーソナリティという言葉の中には、そのような意味は含まれていません。パーソナリティはラテン語で「仮面」を意味する言葉が語源で、それが後に役者が劇の中で演じる役を意味するようになり、やがて「ある特徴を持った人」という意味で用いられるようになりました。

ですから、**人は舞台で別の仮面につけ替えるかのように、その時、その状況にふさわしい役割を「演じて」いる**と考えることもできます。性格を「キャラクター」の面から考えると、それは環境要因よりも先天的な素質の影響が強いということになります。一方、性格を「パーソナリティ」の面から考えると、社会での役割や環境によってそれまでとは違った自分がつくられることになります。

性格
スイスの精神科医で高名な心理学者の**ユング**（P－67参照）は、精神科医としての臨床経験から、人間には興味・関心の心的エネルギーが自分を取り巻く環境に向かって開かれている**外向型**の人と、自分自身の内側に向かっている**内向型**の人がいると定義した。

演じればなりたい自分になれる！

ですから、もしあなたがちょっとしたトラブルでも不安を感じたり落ち込んでしまうような悲観的なタイプの人なら、これからは「自分は前向きな性格の人間だ」と思い込んで、楽観的な自分を演じてみることをおすすめします。

不安は、トラブルがあった時や精神が不安定になった時に生じるものとは限りません。いわゆる**マリッジブルー**のように、とりたてて不安になる要素が何もなくても、漠然と不安を抱いたりすることはよくあることです。そうならないためにも、日頃から楽観的な自分を演じておくことは意味のあることといえます。

もちろん、楽観的な人を演じてみたからといって、すぐに自分自身が楽観的な性格に変わるわけではありません。しかし、人は案外単純なもので、その役になりきろうとすると、次第にその役と同じような性格になってきます。**ある役割を与えられた人は、その役を演じ続けているうちに精神面にも大きな変化が表れる**のです。

これを証明したのが、**スタンフォード監獄実験**です。まず模擬刑務所をつくり、被験者を一般の男性から募集して看守役と受刑者役の2つのグループに振り分けてそれぞれの役を演じてもらい、与えられた役割によって被験者の言葉や態度にどのような変化が表れるかを調べました。受刑者役の被験者に役をよりリアルに演じてもらうため、パトカーで連行して看守役の前で着替えさせたり、本当の犯罪者のように指紋を採取するという徹底ぶりでした。

すると、実験開始からすぐに看守役は高飛車で横柄な態度をとるようになり、一方

マリッジブルー
結婚を控えた人が「本当にこの人でいいのだろうか」「本当にうまくやっていけるのだろうか」と、将来への不安を感じて情緒不安定になること。女性に多いとされているが、近年は男性がマリッジブルーを感じるケースも増えているという。

スタンフォード監獄実験
アメリカの心理学者**ジンバルド**らが行った実験。スタンフォード大学心理学部で実施されたため、この名がある。

スタンフォード監獄実験

実験室の中に模擬刑務所をつくり、一般の男性を看守役と受刑者役に分けて収容し、それぞれの言葉や態度の変化を調べた。

与えられた役になりきることで、人は残酷な性格にも変わることができるのね

一般から募集された被験者 21人

受刑者役 10人

看守役にこびたり反抗的になる者、無気力になる者が出るようになった。実験期間は当初２週間を予定していたが、これ以上続けると受刑者役が危険と判断されたため、実験は６日で打ち切られた。

看守役 11人

刑務所内の規範を勝手に設定したり、互いに悪口を言うことを受刑者に強制するなど、与えられた権限を越えて受刑者に厳しく接するように。やがて、受刑者を侮辱したり暴力を加えるようになった。

の受刑者役は看守役にこびを売ったり、無力感にとらわれたりするなどの変化がみられました。つまり、看守役の被験者は看守らしく、受刑者役の被験者は受刑者らしく振る舞うようになったのです。

この実験で、人は与えられた役割を演じているうちに、その人の内面までも変化することが証明されました。つまり、**自分が望む性格の人間を演じていれば、性格が変化して実際に自分の望む人間になることができる**ということなのです。

もっとも、今までとは違う自分を演じるのは容易なことではありません。はじめのうちは難しいかもしれませんが、常に「自分はこんな人間になりたい」とイメージし、それにもとづいた行動や振る舞いを実践してみてください。だんだんと、自分がなりたかった性格の人物に近づいていくことが自覚できるはずです。

なりたい自分になる
「努力は必ずしも報いられるとは限らない」などといわれるが、社会心理学の研究によれば「努力は報いられる」と信じている人の方が、実際にその努力が報われやすくなることが実証されているという。あきらめずに「なりたい自分になる」ための努力を惜しまないことも大事。

第3章 自分のこころがわかる

鏡に映る自分の姿に何を思う?
鏡を見る時間が長い人の心理

…あの子
ウィンドウに映った
自分の顔
めっちゃ見てる!!
完全に
ナルシスト
入ってるよなー
もう10分
たってるぞ…
おいおい
ポーズまで
とり始めたよ
なんだ
なんだ
ざわざわ
モデル
か?
ざわ
ファッション
ショーだろ
♪
営業妨害
だから
どいて
くれ~!!!

容姿の美しい人ほど集団生活に適応しにくい？

あなたは身だしなみや試着の際、鏡に映る自分の姿を長い時間をかけて見る方ですか。ショーウインドウなどに映る自分の姿を見て、かなり長い時間立ち止まってのぞき込んでいる人もちらほら見かけます。

鏡で自分の姿を見る時の行動には、2つのタイプがあるそうです。さまざまな表情や角度で自分の姿を見るタイプの人は、自分の姿に強い関心を持ち、「自分の魅力は何か」「欠点は何か」を知りたがっている人といえます。ちらっと見るだけの人は、自分の本当の姿を知ることに抵抗がある人です。自分の魅力や欠点を「知りたいけど、知りたくない」という両面の感情に揺れている、どちらかと言えば感情に左右されやすいタイプなのかもしれません。

この2つのタイプは女性だけでなく、男性にも当てはめることができます。アメリカのある大学で、廊下の壁にある大きな鏡の前を通りかかった学生たちがどれくらいの時間をかけて自分の姿を見ているかを計測する心理実験が行われたことがあります。その結果、**男性も女性も魅力的な人ほど、鏡に映った自分の姿を見ている時間が長い**ことがわかりました。

自分の姿に見とれてしまうことを**ナルシシズム**といいますが、「自分は他の人よりも美しい」と思っている人は、「自分は平凡な容姿だ」と思っている人より集団生活に適応しにくいことがわかっています。これは、周囲に比較対象となる人がいないため自分の魅力の評価が定まらず、いつも不安定な心理状態にあるからと考えられます。鏡を長いこと見ている美人は、案外孤独な思いをしているのかもしれませんね。

ナルシシズム
日本語では「自己愛」と訳されるが、精神分析の分野では自分自身を性愛の対象とすることを指し、**フロイト**（P195参照）が精神分析の概念として確立した。ギリシャ神話の登場人物で、水たまりに映った自分の姿を見て恋に落ち、やつれ果ててついに水仙の花になってしまった青年ナルキッソスのエピソードに由来する。

ラッシュアワー時の行動を研究する

満員電車で向き合わない心理

パーソナル・スペースへの侵入を防ぐ防御行動

電車に乗っていて、車内がすいている時には気にならなかった他の乗客が、混雑してくるとやたらと気になり出したことはありませんか。近くの乗客が自分と向かい合わせになったので、思わず後ずさりしたり反対側に体をずらしたりした経験は誰にでもあることでしょう。電車がさらに混んでくると、目をつぶって腕組みをしたりタヌキ寝入りをしたりする人もいます。

このような、人の空間における行動を研究する分野は**プロクセミックス**と呼ばれています。プロクセミックスの研究によれば、人は常に快適な**パーソナル・スペース**（P98参照）を必要としています。パーソナル・スペースに他人が侵入してくると不快感を覚え、反射的に防衛本能がはたらいてこのような行動をとってしまうのです。

これは、電車の座席に座っている時にもあてはまります。電車の座席はたいていシートの両端から埋まり、次はシートの中ほどへ人が座っていきます。これは、端の席や真ん中の席ほど他の乗客の侵入を受けにくいからです。すいている時に自分の片側の空席に荷物を置く人もいますが、これは荷物を堤防がわりにして他人の侵入を防ごうとする心理が表れているのです。

現在の鉄道車両は、1人あたりの着席幅を45～48センチメートル程度に設定しているといいます。体格のいい人が座るとギュウギュウ詰めになってしまうので、せっかく座れても混雑の不快感は立っている時とほとんど変わらないことになります。鉄道会社の設計は合理的ではありますが、心理学の観点ではもう少し余裕がないと快適とはいえないことになりますね。

プロクセミックス
人間の対人距離帯の研究で知られるアメリカの文化人類学者**ホール**は、人間が視覚的に知覚する空間や距離に対する人間の行動を対象とする研究を**プロクセミックス**と呼んだ。日本語では「近接学」「近接空間学」と訳される。

相手の目に注意して人間関係を良好に

目は口ほどにものを言う？

「目の動きで性格や心理がわかる」？
1分でわかる心理学
最初に相手が答えに困るような質問を…
フムフム
A野先輩のファーストキスって何歳のときでしたか？
ええっ!?
全開
……
細くてわからんわー!!!
？
ビターン

その人の目の動きで性格や心理がわかる

よく「目は口ほどにものを言う」とか「目は心の窓」などといいますが、実際に目や視線はその人の心理状態をよく表しています。ですから、**相手の目の動きに注意することで、考えていることや性格を読み取ることができるのです**。

誰かに、例えば「熊本県など、動物の名前が入っている都道府県は全部でいくつ？」といった、ちょっと即答することが難しい問題を出したり、「昨日電話したらいなかったけど、どこにいたの？」など、相手が何かを思い出さなければならないような質問をしてみましょう。返答に窮《きゅう》するような質問をされた時、考えている人の目の動く方向を見ると、その人のだいたいの性格がわかるといわれています。

右側に目を動かす人は、おおむね計算が得意な理系よりの人だといわれています。特に男性の場合は、睡眠時間が短く、異性とのかかわりに防衛的なところがある人が多いようです。

一方、左側に目を動かす人は、古典や人文科学を好む文系よりの人です。性格はどちらかといえば社交的で、音楽を好むとされています。一方で暗示に弱く、催眠術にかかりやすかったり、宗教に関心を持つ傾向が強いようです。

ただし、女性の場合は両方向に目を動かす人も多く、こうした傾向が必ずしもあてはまるとは限らないそうです。

相手と話をしている時の目の動きと、その際に考えていることをP152にまとめました。これをうまく利用して相手の心理を読み取り、相手との上手なコミュニケーションに役立てるとよいでしょう。

目の動き
心理療法の分野に、**神経言語プログラミング（NLP）**と呼ばれる心理学と言語学から生まれた学問がある。NLPでは、こうした目の動きからその人の思考などを読み取り、心理療法の現場に応用しているという。

目の動きからわかる相手の心理

目が右上を向く
今までに見たことがない光景を想像しているか、ウソをつこうとしている。
目が左上を向く
過去の体験や、前に見た光景を思い出している。
目が右下を向く
肉体的な苦痛など、身体的な感覚を思い描いている。
目が左下を向く
聴覚にかかわるイメージ（声や音楽など）を思い描いている。

視線でも見抜ける相手の心理状態

目の動きと同様に、人と話をしている時の**視線の動きは、言葉と同じくらい重要なはたらきをしています**。

視線にはいくつかの役割がありますが、相手に対する関心、つまり話をしたいかしたくないかを伝える時にも使われます。好きな相手とは視線をよく合わせますが、嫌いな人とは視線をあまり合わせません。特に、嫌いな男性と話をしている時の女性は視線の交錯が少なくなります。また、興味のある話をしている時には視線を合わせて「この話に興味を持っている」ことを伝えるようにしますが、そうでない場合は視線を合わせる回数が少なくなります。

さらに、相手との視線の合わせ方からも、その人の性格を知ることができます。

視線
会話をしていても相手と視線を合わせようとしない人がいるが、これは強い**コンプレックス**（P167参照）によるものと考えられる。相手と目を合わせることで、自分がどういう人間であるかを知られたり、評価されたりするのが怖いからだ。

例えば、**一緒に仕事や勉強をする際に相手と視線をよく合わせる人は、その人と一緒にいたいという欲求（親和欲求）が強い人**です。また、**競争するような場面で視線を合わせようとする人は、相手を支配しようという欲求（支配欲求）の高い人**だといえます。女性の方が相手と視線を合わせることが多いといわれていますが、これは女性が親和欲求が強く、支配欲求が弱い傾向にあるからとされています。

このほかにも、周囲の人の反応によく気をつかう人や周囲の人たちの言動に影響されやすい人は、相手を見る回数が多くなるといいます。また、抽象的なものの考え方をする人は、具体的な考え方をする人よりも相手を見る回数が多いそうです。

相手の目の動きとともに、視線にも注意を払うことで、円滑なコミュニケーションを心がけてください。

視線でわかる相手の心理

左右にキョロキョロ動かす

落ち着かなかったり、不安感がある場合。いろいろ考えをめぐらせている場合。

視線を右か左にそらす

相手を拒否しているか、好意を持っていない場合。

視線を下にそらす

気が弱いなどの理由で、相手を怖がっている場合。

上目づかいで話す

相手に対してへりくだっている、あるいは相手に甘えたり頼ったりする場合。

相手を見下ろして話す

相手より自分の方が偉いと思っているか、相手をリードしようとして支配的になっている場合。

阪神ファンの熱狂ぶりにも理由がある
地元愛が生まれるワケ

生涯虎ひとすじ!!
タイガースはワイの命や!!
野球もお笑いも食いモンも
大阪はなんでも一番でっせ!!
なあ…
いい加減あきらめて巨人応援すれば?
東京ドームの隣に住んでるんだからさ…
浪花の魂は死んでも売らんでぇ〜!!

自分のアイデンティティを再確認する

あなたが卒業した学校のＯＢやＯＧにも、有名な芸能人やスポーツ選手が一人くらいはいるのではないでしょうか。自分の出身校から著名人が輩出されると、なんとなく誇らしい気持ちになるものです。また、高校野球やサッカーを観戦している際には、自分の出身校や出身地のチーム、あるいは自分が住んでいる地域の地元のチームを自然と応援したくなります。

こうした母校愛や地元愛といったものは、２つの視点から説明することができます。まず、会社や学校などの組織、あるいは自然発生的につくられたコミュニティなどの集団では、メンバーどうしによるさまざまな交流が行われ、そうしているうちに仲間意識が生まれてきます。やがて、自分が属している集団が自分の一部になったような気になります。これは、社会心理学では**内集団ひいき**と呼ばれています。内集団とは自分が所属している集団のことで、それ以外の集団は外集団といいます。

内集団のメンバーの一員として活動していくうちに、その集団や他のメンバーに愛情が生じ、集団に尽力することが自身の喜びとなります。ここから、母校愛や地元愛が育《はぐく》まれていくのです。

もうひとつの視点は、地元である地域や故郷、母校などに対する**ノスタルジー**です。内集団ひいきやノスタルジーによって生まれた母校愛や地元愛は、その人の**アイデンティティ**（Ｐ93参照）の拠《よ》り所となります。単なる母校や地元への一方的な愛ではなく、それらを思い起こすことで自分のアイデンティティを確認し、心をリフレッシュすることにもつながるのです。

地元愛
各種のアンケート結果によれば、47都道府県の中で最も地元愛が強いのは沖縄県であるという。沖縄のさまざまな独特の文化、南国の暖かな気候や美しい海は、**ノスタルジー**を感じやすいということだろう。北海道、大阪府、京都府が上位にランクインしたのも同様の理由と考えられる。一方、埼玉県、千葉県、岐阜県といった大都市の周辺に位置する都道府県は下位にランクされる傾向にあった。

ノスタルジー
郷土や自分が育ったところなど、過去の特定の場所に対して強い愛着を感じること。17世紀後半、スイスの医学生**ホーファー**によって初めて提唱された概念。

背が高い人の方がデキる男？

外見がいいと得をする？

じゃあ女子メンバーは私とK子とL美ね
イケメン来るといいな～♥
え、なに合コンやるの？
オレもまぜてよ!!
いいですケド…
男子の参加資格身長170センチ以上ですよ？
止めるな!! 頭にシリコン入れて合コン行くんだ～!!
今どき舞の海の入門エピソードなんか誰も知らないって!!

心理学では見た目が大きくものを言う

背がスラリと高くて魅力的な容姿を持った人には、誰でもあこがれるものです。女性が初対面の男性と会った時、まず身長をチェックするという女性が6割にものぼるというデータもあるとか。多くの人が「もっと背が高かったらいいのに」と思っているのは、背が高い方がスタイルが良く見え、得をすることが多いからです。

これは、なにもイメージに限った話ではありません。例えば、アメリカの二大政党である民主党と共和党の1900年以降の大統領候補者を比べてみると、オバマ（第44代大統領）ほか例外こそあるものの、約7割のケースで**身長の高い候補者が大統領選で勝利している**といいます。

また、米ピッツバーグ大学の卒業生のうち、185〜190センチメートルの長身の卒業生の方が、185センチメートル以下の卒業生よりも平均で12・4％も高い初任給をもらっていたという調査結果もあります。さらに、雇用応募書類による選考を利用した実験では、能力のほとんど変わらない2人の応募者のどちらを雇用担当者が選ぶか調べたところ、ほとんどすべての雇用担当者が身長が高い方の応募者を選んだという実験結果さえあります。

このような事実がある以上、背が高い人は能力があり、人格的にも優れているとみなされる傾向は否定できません。これは、2章で解説した**ハロー効果**（P101参照）や**メラビアンの法則**（P128参照）によるものです。人は、相手に顕著な長所（この場合は「背が高い」こと）がある場合は、その人の他の特徴もすべて良いものと見てしまう傾向があるのです。

アメリカ大統領選挙
ニューヨーク・タイムズの記事によれば、民主党と共和党の候補者の勝率を調べたところ身長が高い方の勝率が高かったのだが、同様に体重が重い候補者の方が勝率が高かった。恰幅が良い人の方が頼りがいがありそうに見えるのだろう。ハロー効果やメラビアンの法則で証明されている通り、やはり見た目が大きくものを言うのである。

記憶する一方、忘れてしまうことも多い

すぐ忘れる＆忘れない記憶

C乃さんって過去に彼氏何人くらいいました？
ドキッ!!
あんまり古い話なんで忘れちゃったわ～～
忘れたいほど苦い記憶なんですか…
そ、そういうB子ちゃんは？
私新しい彼氏できると過去の記憶全部デリートしちゃう方なんで♪
ところでさっきの注文配達行かなくていいんですか？
あ!! 花の種類何だったっけ…？
忘れちゃったー!!

心理学の分野ではさまざまな「記憶」がある

あなたは、記憶力は良い方ですか。**記憶**とは、過去に経験したことを必要に応じて思い出せるように保持することですが、経験したことをすべて記憶として保持して思い出せるわけではありません。また、新しい記憶だからといって思い出せるとは限りませんし、古い記憶でも覚えていることはまれているものです。小さい頃に仲の良かった友人の名前はすぐに思い出せても、数分前に会ったばかりの人の名前を忘れてしまったりすることもあります。

心理学の分野でも、記憶について多くの研究がなされてきました。代表的な研究者に、アメリカの心理学者**アトキンソン**と**シフリン**がいます。彼らの研究によれば、記憶は**感覚貯蔵の記憶**、**短期記憶**、**長期記憶**の3つに分けて考えられています。

感覚貯蔵の記憶とは、目で見たまま、耳で聞いたままのことを保持する記憶です。私たちは常に、多くの情報を見たり聞いたりしていますが、視覚や聴覚で情報を認知すると、ほんの一瞬だけ記憶として蓄積されますが、これらのうち注意を向けられなかった記憶はすぐに消えてしまいます。視覚からの情報は1秒程度、聴覚からの情報は数秒で消滅するといわれています。

注意を向けられた情報は消滅せず、短期記憶として残ります。これは認知的な作業、例えば計算をしたり本を読んだりするために必要となる記憶です。ちょうど、記憶を認知的な作業をするための一時的な作業台にするようなものです。短期記憶は15～30秒程度で消滅し、覚えた直後は思い出せますが、作業の必要がなくなるとすぐに忘れてしまいます。

記憶

記憶を大まかに分類すると、ものごとを覚えるための**認知記憶**と、身体の動かし方を覚えるための**運動記憶**の2つに分けることができる。上記で解説している感覚蓄積の記憶、短期記憶、長期記憶は、いずれも認知記憶にあたる。

運動記憶は、脳の中にある記憶中枢の**海馬**で記憶するものではなく、運動の際に小脳から筋肉へ運動指令が出され、失敗すると「この動きは失敗だ」という信号が出されて間違った指令が抑圧される。それを反復する過程で運動能力が向上していく。

忘れてはいけない記憶と忘れてもいい記憶

短期記憶を長期間保持しておくためには、短期記憶が消滅する前に記憶を反復する必要があります。これを**リハーサル効果**といいます。リハーサル効果によって反復された記憶は、いつまでたっても忘れずに思い出すことのできる永続的な記憶となります。これが長期記憶です。私たちが一般的に「記憶する」という意味で用いているのは、この長期記憶のことです。

受験勉強などでは、問題集を繰り返し解いたり、英単語を暗記するために何度もノートに書いたり単語帳を用いるなどの勉強法が有効とされています。これは、反復して学習することによるリハーサル効果で、受験で覚えるべきことを長期記憶に落とし込むために必要なことなのです。

長期記憶は、思い出すのに時間がかかることも時々ありますが、いったん長期記憶となった記憶を忘れることはありません。幼い頃の友人の名前や以前に住んでいた家の住所などをいつまでも覚えているのは、これらの記憶が長期記憶となっているからです。もし忘れてしまったとしても、それは思い出せないだけ、つまり**ど忘れ**です。ど忘れは、何かのきっかけや手がかりでハッと思い出せるものです。

一方、長期記憶とならなかった**感覚貯蔵の記憶や短期記憶などの一時的な記憶は、必要のないものとして消えてしまいます**。つまり、興味がない情報や覚えにくい情報、すでに保持している記憶とまぎらわしい情報などは、長期記憶とならずに消滅してしまうのです。

また、ど忘れとは違ってどんなに思い出そうとしても思い出せない場合がありま

長期記憶
記憶は長期記憶になる前に、記憶中枢である海馬で一時的に保存される。これを**中期記憶**と呼ぶ場合もある。中期記憶は1時間〜1か月程度保存され、このうち重要な記憶と認識されたものが海馬から大脳へと移動し、長期記憶に変わる。

「記憶」にはどのような種類がある?

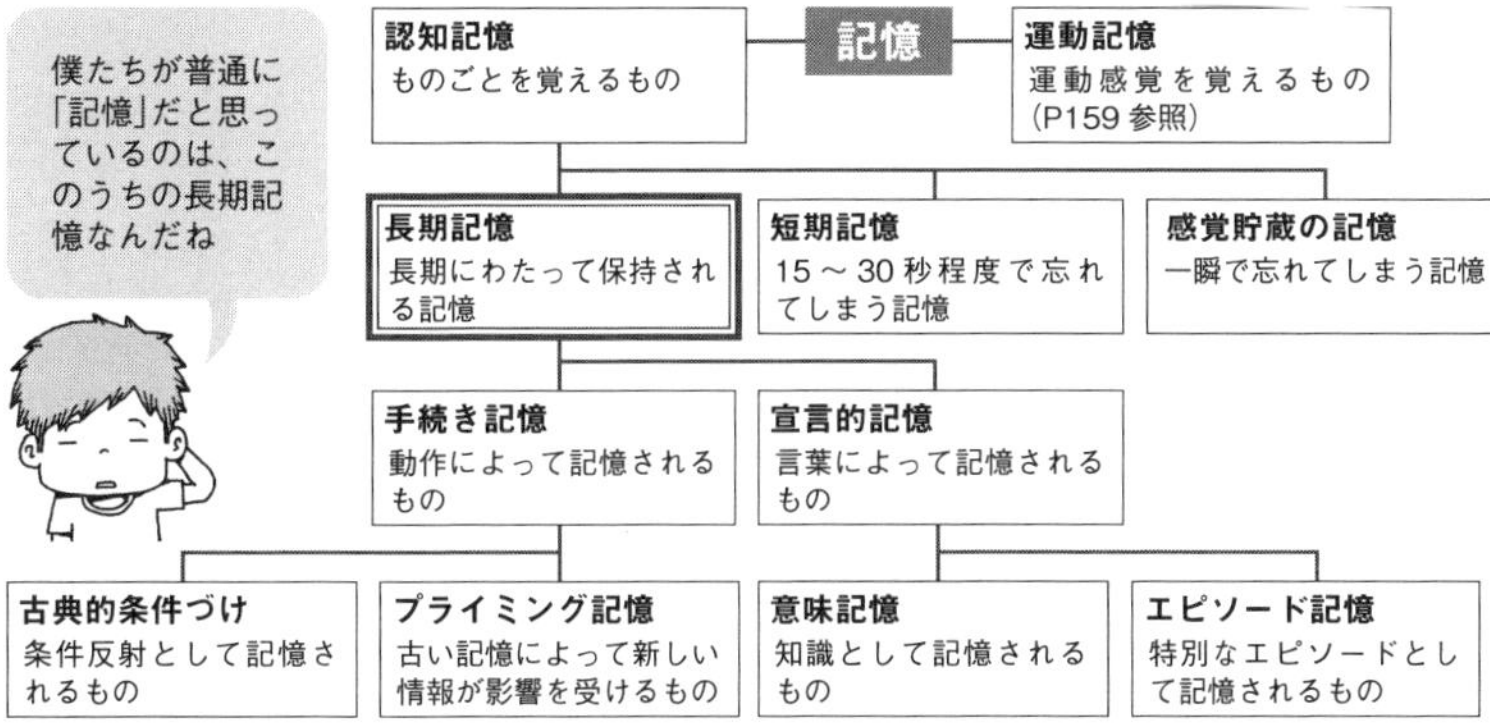
記憶
認知記憶
ものごとを覚えるもの
運動記憶
運動感覚を覚えるもの
(P159 参照)
長期記憶
長期にわたって保持される記憶
短期記憶
15 ～ 30 秒程度で忘れてしまう記憶
感覚貯蔵の記憶
一瞬で忘れてしまう記憶
手続き記憶
動作によって記憶されるもの
宣言的記憶
言葉によって記憶されるもの
古典的条件づけ
条件反射として記憶されるもの
プライミング記憶
古い記憶によって新しい情報が影響を受けるもの
意味記憶
知識として記憶されるもの
エピソード記憶
特別なエピソードとして記憶されるもの
僕たちが普通に「記憶」だと思っているのは、このうちの長期記憶なんだね

す。これは**記憶障害**と呼ばれます。記憶障害のうち、**宣言的記憶**を忘れてしまった状態のことを**健忘**といい、これには**もの忘れ**や**記憶喪失**も含まれます。認知症では、この健忘が初期段階から現れます。特にアルツハイマー型の認知症は、脳の記憶中枢である海馬から脳の委縮が始まるといわれており、そのためにもの忘れの症状が現れると考えられています。

このほかに記憶がなくなってしまう現象としては、お酒をたくさん飲んだ後、その時のことを思い出せなくなってしまうケースがあります。これは**アルコール・ブラックアウト**といい、やはり海馬が脳内のアルコール濃度が高くなったことで麻痺するために起こる現象です。記憶をなくしてしまうほど大酒を飲むのは体にもよくないので、読者のみなさんは適量を守ってほどほどにしてくださいね。

宣言的記憶
長期記憶のうちのひとつで、言葉によって記憶されるもの。陳述的記憶ともいう。一方、自転車の乗り方やダンスの練習など動作によって記憶される長期記憶を**手続き記憶**という（上図参照）。

第3章 自分のこころがわかる

「なんでも欲しがる」のは悪いこと？ 欲求不満はなぜ起こる？

眠い…
・生理的欲求
布団がほしい…
・安全欲求
添い寝してくれる女の子がほしい…
・親和欲求
「無人島の発見者」として名を残したい…
がばっ!!
ってゆーか誰か助けに来てぇぇ!!
・社会的欲求？

人間の欲求は5段階のピラミッド型

あなたは、自分の現状に満足していますか。「美味しいケーキを食べたい」「疲れた。もう寝たい」といった日常生活でのことから、「有名大学に合格したい」「異性にモテたい」「昇進して偉くなりたい」といった現状への不満や将来のことまで、いろいろあることと思います。人間の欲というものは際限がなく、どんなに裕福で充実した生活をしていても、それに満足できずにさらなる欲求がわいてくるものです。

ところで、人というものはひとつの欲求が満たされても、すぐに次の欲求を満足させたいと思うようになるものです。このような体験は誰にでもあることでしょう。

しかし、それは決して悪いことではないのです。自分の現状に満足できないのは、さらに上を目指そうとする欲求が働いていることの表れといえるからです。

欲求不満が起こるメカニズムは、どのようになっているのでしょう。アメリカの心理学者**マズロー**は、「人間の欲求には、生きていくために必要な**基本的欲求**と、これらが満たされることで生まれる**成長欲求**がある」と提唱しています。

マズローは、人間の欲求は165ページのような5段階のピラミッド状になっていると仮定しました。まず基本的欲求には、①食べる、眠る、排泄するといった、生きるために本能的に持っている**生理的欲求**、②身の安全や生活の安定を求める**安全欲求**、③自分が所属する集団に受け入れられたい、愛する人が欲しいといった**親和欲求**、④人から尊敬されたい、社会的に求められたいと欲する**自尊欲求**の4つがあります（5つめについては後で説明します）。

マズロー
（1908〜1970）
従来の精神分析や行動主義に基づく心理学ではなく、主体性・創造性・自己実現といった人間の肯定的側面を強調した「人間性心理学」の創始者。

満たされないという欲求が成長の原動力に

例えば、あなたが「周囲からもっと注目されたい」という欲求を持っているなら、それは自尊欲求が満たされていないことが原因だと考えられます。友達や恋人から早く返信メールが来ないかと気になって仕方がない、いわゆる「メール依存症」の人は、親和欲求が満たされていないからだといえます。これらの欲求は、下から①→②→③→④の順に、ひとつが満たされると段階的に次の欲求へ進んでいきます。食べるものや着るものが十分にそろっていれば、次は安全に住める家を求めるようになります。住居が確保できれば、その次にはいい仕事をしたい、あるいは結婚して幸せな家庭を築きたいと思うようになります。やがて多くの人たちから尊敬されるような人間になりたいと考えるようになります。ひとつの欲求がクリアされるごとに、その人も成長していくのです。

これらが満たされると、人間にとって最も上位の欲求である**成長欲求**へと進みます。つまり、⑤才能や能力を最大限に発揮し、自分の可能性を高めたいという**自己実現欲求**が生まれます。

この**自己実現欲求にしたがって行動できるようになると、人は自分の人生に手ごたえを感じて生きていくことができるようになります**。マズローによれば、親和欲求なら50％、自尊欲求なら40％が満たされれば、自己実現欲求に気持ちを切り替えることができるようになるといいます。

人間は、常に欲求にしたがって生きていかなければならないもの。しかし、さらに上の欲求を目指すことによって、人間は日々成長を遂げていくのです。

実存的欲求不満
人間の成長に資する一方で、ネガティブな欲求不満も存在する。オーストリアの精神医学者**フランクル**は、第二次世界大戦中にナチス・ドイツの強制収容所で過ごした経験から、生きている意味を見出せないような欲求不満もあると指摘し、これを「実存的欲求不満」と呼んだ。この状態に陥ると、生きる気力をなくしたり、何の目的もなく毎日を過ごしたりするようになる。コンプレックス（P-67参照）やトラウマも、この実存的欲求不満が原因のひとつとされる。

マズローの欲求5段階説

人間の欲求は５段階層のピラミッドのようになっており、１段階目の欲求が満たされると、その上にある２段階目の欲求を満たそうと志す。このように、人間の欲求は段階的にステップアップしていき、最終的には自己実現欲求に向かっていく。

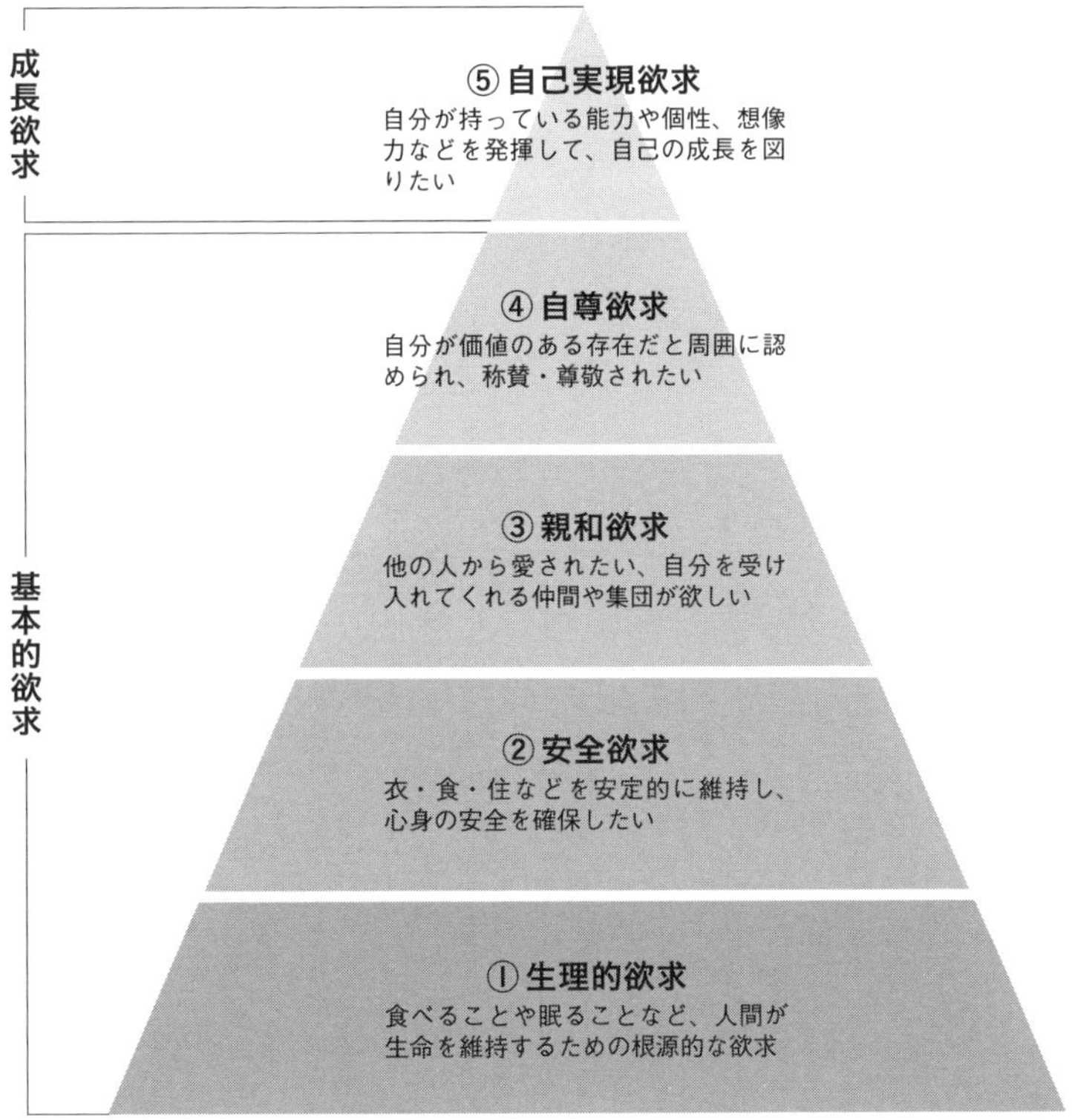
成長欲求
⑤自己実現欲求
自分が持っている能力や個性、想像力などを発揮して、自己の成長を図りたい
基本的欲求
④自尊欲求
自分が価値のある存在だと周囲に認められ、称賛・尊敬されたい
③親和欲求
他の人から愛されたい、自分を受け入れてくれる仲間や集団が欲しい
②安全欲求
衣・食・住などを安定的に維持し、心身の安全を確保したい
①生理的欲求
食べることや眠ることなど、人間が生命を維持するための根源的な欲求

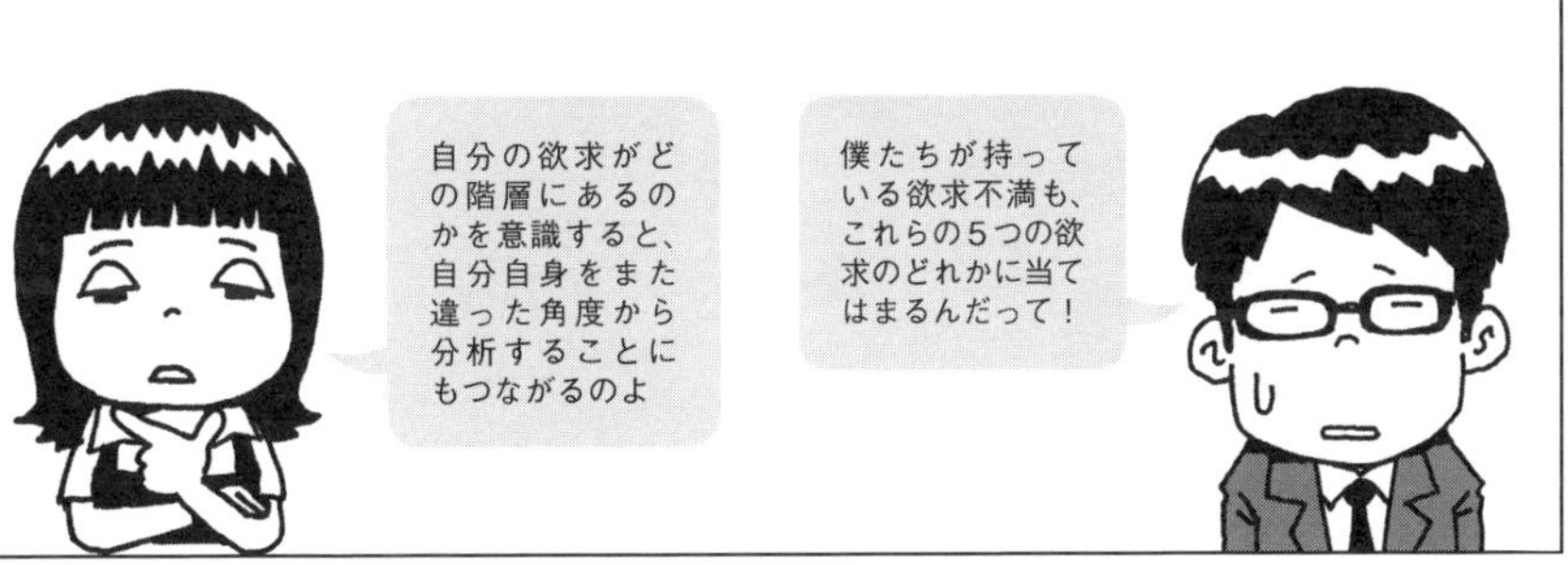
僕たちが持っている欲求不満も、これらの５つの欲求のどれかに当てはまるんだって！
自分の欲求がどの階層にあるのかを意識すると、自分自身をまた違った角度から分析することにもつながるのよ

コンプレックスを恥じる必要はない！
嫉妬の裏にあるものとは？

あと5センチでいいから背がほしいなぁ…
身長159cm
お前がいると座が白けるんだよ!!!
マジメすぎる性格をどうにかしたい…
いっいっ…
いらっしゃいませ…
人見知りしない人がうらやましい…
またラブレター!…
モテすぎて困っちゃうのよね～
それなんか違う!!

「無意識」の中にある コンプレックス

あなたが誰かを妬《ねた》ましく思ったり、苦手な人だと感じたりするのは、何らかの**コンプレックス**が原因になっている場合があります。スイスの心理学者**ユング**が提唱したコンプレックスとは、普段は無意識のうちに押さえられているわだかまりや、かたくなな気持ちのことをいいます。

他の人と比べて自分が劣るように感じられたり、「自分は取るに足らない人間だ」と思って落ち込んだりすることは誰にでもあることです。だから、自分を過小評価したりさげすんだりする必要はありません。このような感情は**劣等コンプレックス**といい、これが劣等感や挫折感のほか、嫉妬、憎悪、恐怖などの感情を生み出します。特に青年期に入ると、人はさまざまな葛藤を体験します。そこに劣等感や挫折感などが加わることで、落ち込みの度合いもより大きくなります。

劣等コンプレックスは、人間のごく自然な感情のひとつであり、多くの人が心の中に持っているものです。心理学では、劣等コンプレックスは一般的に幼児期における人間関係の中で形成されるものと考えられています。例えば、「大金持ちになりたい」という劣等コンプレックスを持っている人は、幼い頃に経済的に恵まれなかった経験があるのかもしれません。

劣等感や挫折感をそのままの形で引きずると、何らかの苦痛や恐怖を引き起こす可能性があります。心理学では、そのような場合には**本人が持っている記憶や観念が「無意識」の中に押しやられ、その記憶や観念が、無意識のうちに感情や行動に影響を及ぼしている**のだといいます。

ユング
（１８７５〜１９６１）
コンプレックスの存在を初めて専門的に研究した心理学者。ユングはコンプレックスを「無意識の中に存在し、何らかの感情によって結ばれている心的内容の集合体」と定義した。**フロイト**（P１９５参照）とともに精神分析学の発展に大きく貢献するが、「無意識」の考え方をめぐって理論が対立したため袂を分かつ。後に独自の理論を「分析心理学（ユング心理学）」として体系化した。

コンプレックスの原因となるもの

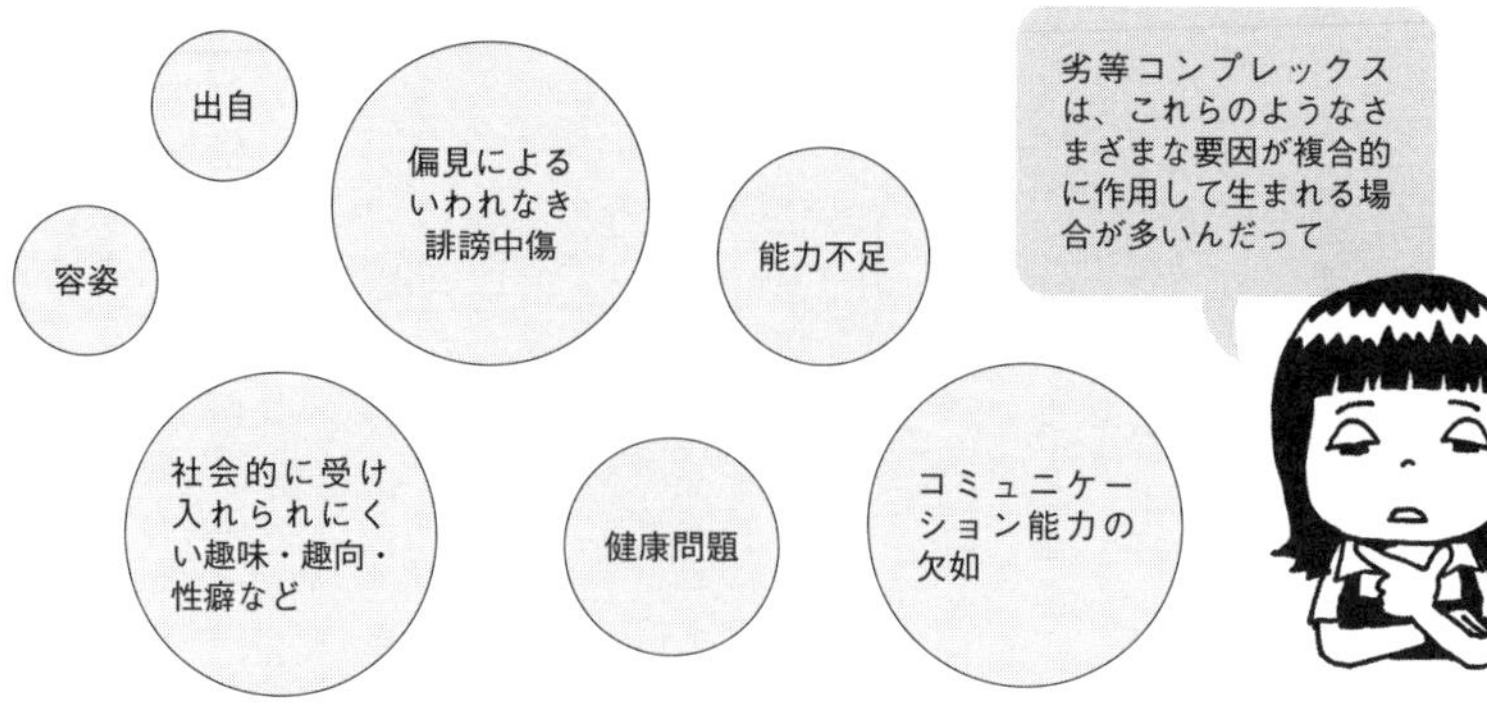
出自
偏見によるいわれなき誹謗中傷
容姿
能力不足
社会的に受け入れられにくい趣味・趣向・性癖など
健康問題
コミュニケーション能力の欠如
劣等コンプレックスは、これらのようなさまざまな要因が複合的に作用して生まれる場合が多いんだって

コンプレックスが人間を成長させる？

劣等コンプレックスは、他人から見れば些細なことであっても、本人にとってはつらく苦しいものかもしれません。

しかし、コンプレックスがあるからこそ、人は成長していくのだということも忘れてはなりません。**ある程度の劣等コンプレックスを持ち続けていれば、「負けるものか」という本人の気持ちをかき立て、人間を成長させるきっかけになる**からです。

また、劣等コンプレックスを克服しようと別のことにはげんだ結果、それが原動力となって、予期せぬ大きな成果を得られることもあります。人は心理状態を安定させるために、無意識のうちに劣等感や罪悪感などの不快な気持ちを弱めたり回避したりする行動をとることがあります。これは**防**

防衛機制
強がりを言うなど自分の気持ちとは反対の行動をとる（反動形成）、抑圧されている憎しみや愛情などの感情を、別の目標や行動に転化する（置き換え）、できなかったことを理由をつけて正当化する（合理化）、空想などで現実から逃れようとする（逃避）、スポーツや芸術など社会的に有用な活動に転化する（昇華）などの行動があげられる。

衛機制（防衛反応）といい、強がりを言って自分を奮い立たせたり、スポーツや娯楽などで不安や不快な気持ちを解消するなどの行動は、この防衛機制が作用することによって起こるものです。

ただし、劣等コンプレックスを過剰に意識しすぎると、極度に自信をなくしたり、無気力になったりして、自身の成長を妨げることになります。特に、まだ大きな挫折を体験していない若い人は劣等感や挫折感に対する耐性が低いため、もろさを露呈してしまう場合があります。場合によっては神経症の原因になることもあるので、ほどほどにしておきましょう。

そういう意味でも、劣等コンプレックスは若者を成長させる糧《かて》にもなるものだといえます。多くの挫折を上手に乗り越えていくことで人は強くなり、社会を生きるための能力を身につけていくのです。

さまざまなコンプレックス

カイン・コンプレックス

親からの愛情を独占するため、他のきょうだいと対立すること。『旧約聖書』の登場人物で、嫉妬にかられて弟アベルを殺した兄カインにちなむ。

メサイア・コンプレックス

メサイアとは「救世主」の意味。自分を愛せないため、他人から感謝されることで自己実現をしようとする。人類愛の実現など過剰な理想主義に走る場合がある。

エディプス・コンプレックス

男の子が母親を愛するあまり、父親の存在を邪魔だと感じる状態。父親を父とは知らずに殺害し、その妻（自分の母）と結婚したギリシャ神話の登場人物エディプスの名にちなむ。

ロリータ・コンプレックス

成人男性が未成熟な少女に愛情を持つこと。ロシアの作家ナボコフの小説が由来。

マザー・コンプレックス

男性が成人してからも母親に依存し続け、そのことに疑問や葛藤を感じていない状態。

シンデレラ・コンプレックス

女性が男性に対して「守ってもらいたい」と思うことで、自立が妨げられている状態。

白雪姫コンプレックス

母親から体罰を受けていたために、わが子にも同じことをしてしまう状態。虐待の連鎖が起こりやすい。

コンプレックスは劣等コンプレックスのことを指す場合が多いんだけど、そのほかにもいろんな種類のコンプレックスがあるの

わかってはいるが、やめられない 何かに依存してしまう心理

●ゲーム依存
明日バイト早番なのに
やめられないんだよな…
●チョコレート依存
あーもうイライラするッ!!
もう1袋開けちゃえ!!
CHOCO
CHOCO
●ネット通販依存
買いすぎちゃって
部屋に置き場所がない…
●ペット依存
ピーコちゃん聞いてよ…
今日課長がさ〜
こいつの愚痴始まると長いんだよな〜

心が現実逃避して快楽や刺激を求める

読者のみなさんの中に、競馬やパチンコなどギャンブルに熱心な人はいませんか。最近ではオンラインゲームにはまる人もいるようです。これらは趣味として楽しむ分にはいいのですが、寝食を忘れて没頭したり、借金をしてまで続けたりするのはいくらなんでもやりすぎです。ここまでくると、その人には**依存**の疑いがあります。依存は**嗜癖**《しへき》（**アディクション**）ともいい、特定の行動や快楽、刺激などが欲しくてたまらなくなる精神状態のことをいいます。

依存は、その対象によって大きく3つに分けられます。タバコやアルコールなどモノに依存する**物質嗜癖**、ギャンブルやゲーム、インターネット、セックスなど、行為にはまる**プロセス嗜癖**、そして、親や恋人など特定の相手に頼りすぎたり支配的な関係を築いてしまう**人間関係嗜癖**です。過食は物質嗜癖、のぞきという特殊な性癖を持っていてどうしてもやめられない人はプロセス嗜癖に分類できます。依存の心理としては、**自分が抱えているつらさから逃れるために現実逃避し、刺激や癒**《いや》**しを求めている**のだと考えられます。しかし、次第にコントロールが利かなくなり、依存の対象が増えてしまう場合もあります。

依存が怖いのは、アルコールやドラッグなど、過剰に依存するとその人の生活や人生を破たんさせてしまうものが少なくないことです。初期段階であれば適切に対処することで通常の生活に戻ることもできますが、依存の段階が進むと抜け出すことが難しくなります。日常生活に支障をきたすほどの依存は身を滅ぼすことになるので、くれぐれも注意しましょう。

依存
自分自身でコントロールができなくなる段階まで依存が進むと、**依存症**という形で精神疾患として発症してしまう。

心も体も傷ついてしまうストレス

ストレスが起こるしくみ

なんだ
この書類は
ミスだらけ
じゃないか!!
すみません…
だいたい君は
なっとらん!!
ドンッ!!!
ズルッ
!!
日頃から
あれほど…
ズルッ
ズルッ
プッ
プププッ…
笑いたいのに
笑えないって…
びくっ!!
超〜〜
ストレス!!

良いストレスと悪いストレスがある

最近、病気というわけではないのに「よくイライラする」「無意識に『疲れた』と何度も言ってしまう」「朝、寝床から出るのがつらい」といった自覚症状が増えていませんか。肉体的なダメージが原因でないとしたら、それらは**ストレス**によるものかもしれません。

ストレスとは、心身に対して負荷がかかった状態のことをいい、ストレスを引き起こす原因は**ストレッサー**、それによって起こる心や身体の変化は**ストレス反応**と呼ばれます。ストレッサーを抱えると、体はストレスを解消しようとしてストレス反応を活発化させます。「イライラしやすい」「疲れやすい」といった自覚症状は、ストレス反応によるものです。

人間に対するあらゆる刺激がストレスになるわけですから、生きている限りはストレスから逃れることはできません。しかし、だからといって悲観することはありません。**ストレスには、良いストレスと悪いストレスがある**からです。良いストレスは、自分を奮い立たせたり勇気づけたりする刺激とその状態、悪いストレスは恐怖や不安、過労など、自分の心身に悪い影響を及ぼす刺激とその状態をいいます。良いストレスを受け続けている限りは、むしろ良い影響を及ぼすことになります。

一方、悪いストレスを受け続けてしまうと、心が疲れ果て、結果として**適応障害**（P181参照）や**うつ病**（P183参照）などの精神疾患になってしまうこともあります。また、ストレスを感じやすい人は心臓疾患や胃潰瘍《かいよう》などの病気になりやすいという傾向もみられます。

ストレス
もともとは生理学の用語だが、カナダの生理学者**セリエ**が「生物には、どんな刺激によっても引き起こされる共通の反応がある」という仮説（ストレス学説）を唱えてから研究が進み、現在では医学・心理学の用語としても定着し、広く知られるようになった。

なぜストレスが起こるのか?

多くのストレッサーを長期にわたって受け続けて心身が疲労状態になると、身体にも変化が生じ、精神的にも肉体的にもさまざまな病気を引き起こす。

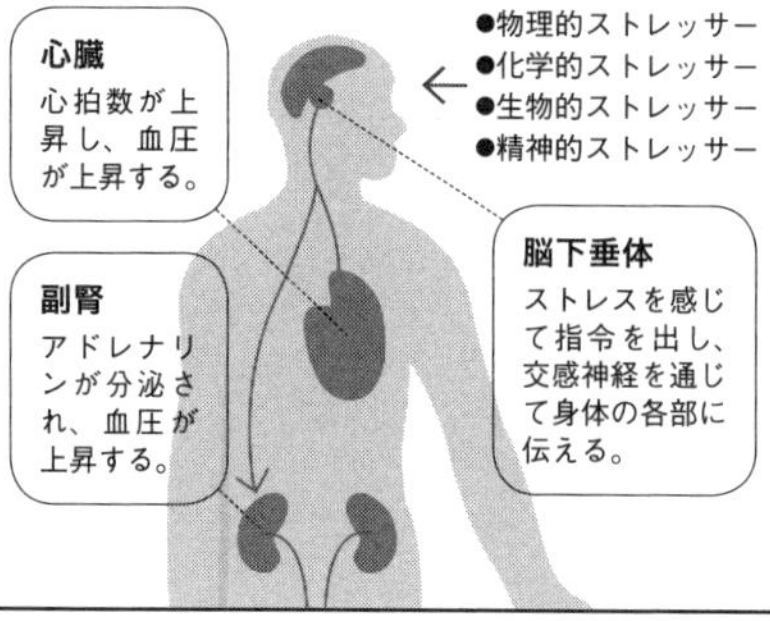

●物理的ストレッサー
●化学的ストレッサー
●生物的ストレッサー
●精神的ストレッサー
心臓
心拍数が上昇し、血圧が上昇する。
副腎
アドレナリンが分泌され、血圧が上昇する。
脳下垂体
ストレスを感じて指令を出し、交感神経を通じて身体の各部に伝える。

さまざまなストレッサー	
物理的ストレッサー	暑さ、寒さ、騒音、花粉、放射線など
化学的ストレッサー	酸素の欠乏・過剰、栄養不足、薬物など
生物的ストレッサー	病原菌、炎症など
精神的ストレッサー	人間関係のトラブル、怒り、不安、憎しみ、恐怖、緊張など

ストレスを感じやすい人と感じにくい人がいる

ストレスの原因となるストレッサーは、①暑さや寒さ、騒音などの**物理的ストレッサー**、②栄養不足、酸素の欠乏、薬物などの**化学的ストレッサー**、③病原菌や炎症などの**生物的ストレッサー**、④怒り、不安、憎しみ、緊張、人間関係のトラブルなどの**精神的ストレッサー**の4つに分類できます。多くのストレッサーにさらされている人は、それだけストレスを感じやすい人といえます。特に、このうちの精神的ストレッサーに悩まされる機会が最も多く、解消も難しいといわれています。

ところで、これらストレッサーの多い少ないにかかわらず、**ストレスを感じやすい人と感じにくい人がいる**ことが専門家の研究でわかっています。アメリカの医学者**フ**

ストレッサー
生物は寒さ、湿度、光、痛み、疲れ、恐怖、不安などさまざまなストレッサーに直面すると、①ストレスを受けたショックからいったん抵抗力が弱まるものの、再び抵抗力を高める（警告反応期）、②ストレスに対抗して身体の抵抗力が高まる（抵抗期）、③防御反応が限界に達し、再びストレスに対する抵抗力が弱まる（疲憊《ひはい》期）という3段階の生理的反応をみせることがわかっている。

リードマンと**ローゼンマン**は、心臓疾患の患者にはいくつかの共通した行動パターンがあることを発見し、その性格を心臓疾患にかかりやすいタイプA（野心的、攻撃的など）と、かかりにくいタイプB（非攻撃的）に分類。さらにアメリカの心理学者**テモショック**が、ガンになりやすい人に共通した性格（自己犠牲的、我慢強いなど）のタイプCを追加しました。

タイプAの人は、ストレスの自覚があまりなく、自らストレスの多い生活を選んでしまう人、タイプBの人はマイペースでストレスを貯めにくい人です。タイプAの人はタイプBの人よりも、2倍も心臓疾患になりやすいと報告されています。またタイプCの人は、人間関係によるストレスを貯めやすいと指摘されています。**同じ状況でも、その人の性格によってストレスの影響も変わってくる**のです。

ストレスを受けやすい人、受けにくい人

ストレスを受けやすく心臓疾患にかかりやすいタイプA、ストレスを受けにくいタイプB、ガンにかかりやすいタイプCの人の性格をまとめると、それぞれ以下のようになる。

タイプA　心臓疾患にかかりやすい

- □ 仕事好き、行動がてきぱきしている
- □ 野心的、競争を好む
- □ 目標達成願望が強い
- □ 早口・早足・早食い
- □ 他人からの評価を気にするストレスを受けやすい

タイプB　ストレスを受けにくい

- □ 行動がマイペース
- □ 仕事を過剰に抱え込まない
- □ 家族や趣味などプライベートを大切にする
- □ 穏やかな性格
- □ 他人からの評価をあまり気にしないストレスを受けにくい

タイプC　ガンにかかりやすい

- □ 我慢強い、負の感情を貯め込みやすい
- □ 対人関係で傷つきやすい
- □ 周囲に従順
- □ 自己主張をあまりしない
- □ 自己犠牲的な行動が多いストレスを受けやすい

同じストレッサーが原因でも、その人の性格によってストレスの感じ方も違うし、対処法も違ってくるのよ

ゼロにはできないが、軽くはできる 心理学によるストレス解消法

ストレス対処法① 問題と向き合って解決
もう「ぽっちゃり」なんて
呼ばせない!!
ストレス対処法② 攻撃的な行動で発散
ドカーン!!
男がなんだ～～!!
ストレス対処法③ 趣味や飲酒で解決
課長のバカヤロー
部長のバカヤロー…
ストレス対処法④ 時間の経過を待つ
時間よ早く過ぎろ!!
ガミガミ
ガミ

ストレス軽減のカギはその受け止め方

ストレスはすべての人が大なり小なり感じるものですが、ストレスに悩まされないようにする方法はないものでしょうか。

前項で述べたように、生きている限りはストレスの影響から逃れることはできません。したがって、ストレスをゼロにする方法は残念ながらありません。しかし、**ストレスを完全に解消することはできないものの、軽くすることはできます**。あなたがストレスを感じにくいタイプＢ（Ｐ１７５参照）の人であれば、そのままおおらかに生きていけばいいでしょう。もし、ストレスによって心身に大きなダメージを受けてしまうタイプＡやＣの人なら、本項を読んでストレスへの対処法を学び、少しでも軽くすることをおすすめします。

ストレスを軽減する方法を**ストレス・マネジメント**といいますが、その中でもストレスの原因そのものを取り除いたり、上手に対処する方法は**ストレス・コーピング**と呼ばれています。

ストレス・コーピングの研究で知られるアメリカの心理学者**ラザルス**は、次のような実験を行いました。まず被験者を４つのグループに分け、それぞれ異なった割礼《かつれい》に関する説明を事前に行いました。その上で、オーストラリアの先住民の**割礼式**の衝撃的な映像を見せ、それぞれのグループの心理状態を分析したのです。

その結果、「この儀式は少年にとっては喜びなのだ」「学問として未開文化を観察するのだから、冷静に」という説明をしたグループとしなかったグループでは、前者の方がストレス反応が少ないことがわかりました（Ｐ１７８参照）。

ストレス・マネジメント
さまざまな方法が提唱されており、ラザルスはストレッサーとなる環境を認知・調節し、ストレスに対処する方法を見直すことで、短期・長期にわたるストレス反応を軽減することを提唱した。

割礼式
男性器の包皮の一部を切除する儀式で、宗教上の理由で男子が成人するための通過儀礼として行われている。アフリカの一部の地域では、女性器の一部を切除する風習もある。

ラザルスの実験とストレス・コーピング

ラザルスは、事前に異なる説明をした４つのグループにオーストラリア先住民の割礼式の映像を見せ、それぞれのグループのストレス反応に違いが表れることを証明した。

	グループA	グループB	グループC	グループD
事前説明	「割礼は少年に苦痛を与える」	「これは未開文化を観察するための映像である」	「割礼の儀式は少年にとっては喜び」	説明なし
ストレス反応	高い	低い	低い	高い

結論

ストレス反応の度合は、前置きの仕方によって変わる

ストレスを軽減するための対処法を知っておこう

つまり、**ストレスは受け手の受け止め方次第で軽減させることが可能**なのです。例えば、「これを努力して乗り越えれば、実力をつけることができる」と受け手が前向きにとらえれば、仕事でのストレスを克服することが可能なのです。

ストレスを軽減させる具体的なコーピング（対処法）としては、①ストレスやその原因であるストレッサーと向き合い、問題を解決していく、②八つ当たりや攻撃的な行動でストレスを発散させる、③スポーツやゲームなどの趣味や飲酒などで解消する、④ストレスに耐えながら時間が経過するのを待つ、などの方法が考えられます。

①はストレスを自身の問題として取り組むので、最も好ましいストレス解消法とい

ストレスを軽減させる具体的な対処法

本文で紹介した対処法のうち、①の具体例としては次のようなものがあげられる。

①疲労を感じたら、ゆっくり休んで睡眠を十分にとる。

②食事や睡眠時間を規則正しくし、生活のリズムを安定させる。

③信頼できる相手に相談する。

えます。しかし、本格的に取り組むとなるとどうしても時間がかかりすぎてしまうという欠点があります。②は周囲に迷惑をかけて顰蹙《ひんしゅく》を買うだけで、好ましいストレス解消法とはいえません。

③は、健全な趣味であれば健康や息抜きのためにも有効で、飲酒もたしなむ程度であれば問題ありません。④は費用も時間もかかりませんが、一見すると何の解決にもならないようにも思えます。しかし、ある程度様子を見ながらストレスと共存するという手もあります。大きなストレスを長期間抱えることはよくありませんが、適度のストレスであれば逆にやる気を起こさせることにもつながります。

ストレスの原因は人それぞれなのですから、その解消法も人によって違います。あなたに最も適したストレス解消法を見つけましょう。

8つのストレス・コーピング

対決型
ストレスに正面から向き合い、積極的に行動する。

自己コントロール型
自分の感情や行動をコントロールする。

社会的支援模索型
情報収集やカウンセリングなどの支援を求める。

責任受容型
誤った自分の行動や責任を認識し、反省する。

肯定評価型
ストレスを感じる環境を変え、自分を高めようとする。

逃避型
ストレスを感じる状況から逃げようとする。

計画型
ストレスを解消するために計画的に考える努力をする。

隔離型
ストレスをつくる状況から距離を置き、最小限に抑える。

ラザルスが分類したストレス対処法の8つの型がこれよ

心の病にかかりやすい現代人
なぜ心を病んでしまうの？

営業に移動になってから1ヶ月――
今ひとつ職場にも仕事にもなじめない…
やたらと落ち込むし体の調子も良くない――
でもがんばらなきゃいけないいんだろうな…
「大したことない」と軽く考えるのはキケンです！
「適応障害かも」と感じたら心療内科やカウンセリングを受診しましょう
ピー!! ピー!!
ピーコがそう言うなら
病院行ってみようかな…
私はピーコちゃん以下なのね…

環境の変化で起こる適応障害

日本国憲法第25条に規定されているように、私たちは誰もが健康で文化的な生活を営む権利を持っています。「健康」な生活とは、単に病気をしないというだけでなく、肉体的にも精神的にも不足なく生きていくことだといえます。

しかし、現代を生き抜く人たちのすべてが健康な生活を送れているわけではありません。現代社会には**ストレス**（P173参照）や悩みはつきものですし、そうした状況に対処できなければ、身体だけではなく心にも不調をきたしてしまいます。人間関係でつまずいたり仕事でミスをしたり、あるいはちょっとしたことが気になっただけでも、心の病は発症します。

例えば会社への就職、移動や転職など、環境の変化から発生するストレスによって心身に障害が表れ、生活に支障をきたす状態を**適応障害**といいます。新入社員によく見られる、いわゆる**五月病**はその典型的な例といえます。今までとはまったく違う環境に置かれて仕事をすることは、心身ともにかなりのエネルギーを消費します。人は**防衛機制**（P168参照）がはたらくことで環境の変化に対応できますが、ストレスが限界を超えてしまうと防衛機制がうまく機能しなくなります。その結果、気分の低下や不安を感じたり、摂食障害や頭痛などの症状が表れたり、無断欠勤や虚偽の発言をするなどの変化が起こるのです。

適応障害は、精神疾患としては軽度の部類に入ります。しかし、次項で解説する**うつ病**をはじめとした別の精神疾患の引き金となることもあるので、「大したことない」と軽く考えるのは危険です。

五月病
日本では、新年度の4月に入学や就職、異動など新しい環境への変化が多くある。その結果、適応障害の症状が5月のゴールデンウィークが明けた頃からみられるケースが多いため、この名がある。

誰がなってもおかしくない現代の病

うつ病ってどんな病気？

Yさんは職場へ行くと気分が沈み
頭痛や吐き気をもよおします
しかし仕事が終わると気分がよくなり
元気に遊びに出かけたりします
はたしてYさんはうつ病でしょうか？
いや〜それは違うでしょ
単になまけたいだけですよ
実はコレ「非定型うつ病」といって
最近増えているニュータイプのうつなんです
え〜っ？？！

21世紀に入ってから急激に増加傾向

仕事での失敗や人間関係がうまくいかないなど、ささいなトラブルがきっかけで気分がふさいでしまうことがあります。うまく気分転換できればよいのですが、沈んだ気分が２週間以上も続き、何をする気も起こらなくなってしまったら、それは**うつ病**の症状かもしれません。その原因ははっきりとは解明されていませんが、心に何らかの**ストレス**（Ｐ１７３参照）を抱えていると、それが引き金になってうつ病になることが多いとされています。

うつ病の症状も、人によってさまざまです。主な症状を別表にまとめました（Ｐ１８４参照）。このうちのいくつかがあてはまったらうつ病、ということではありませんが、うつ病の人に共通しているのは**「憂鬱で悲しい気分になる」「何もする気がなくなる」**の２点です。

厚生労働省の調査によれば、うつ病の生涯有病率（これまでにうつ病になった経験がある人の割合）は３〜16％ですから、１００人のうち３〜16人はうつ病になったことがあるわけです。しかも、これは医師によってうつ病と診断された人の数にすぎません。受診していない人も含めれば、その数はさらに多くなります。

さらに、日本のうつ病患者数は１９９６年には約43万人、99年には約44万人とほぼ横ばいだったのですが、２００２年には約71万人、05年には約92万人、08年には１０４万人と、目に見えて増加傾向にあります。これにはうつ病の診断基準が以前と変わったという理由もありますが、**うつ病は誰がなってもおかしくない**、**現代人がなりやすい病気**と言っていいでしょう。

うつ病
うつ病とよく似た精神障害に**双極性障害**がある。気分が落ち込んで活動性が減少するうつの状態と、テンションが高くなって活動性が増大する**躁**《そう》の状態が交互に表れるため「躁うつ病」とも呼ばれる。躁うつ病と区別するため、うつ病のことを「単極性うつ病」と呼ぶこともある。

主なうつ病の症状

心の症状

- いつも憂うつで気分が沈み、悲しい気持ちになる
- 何に対しても興味がなくなる
- 何もやる気が起きず、おっくうになる
- イライラする
- 「自分が悪い」と考えてしまいがちになる
- 自信がなくなり、すぐに不安になる
- 判断力が低下する

体の症状

- よく眠れない
- 食欲がない、何を食べても美味しいと感じない
- 目まいや動悸、息切れがする
- 肩こりが治らない
- 性欲が減退する
- 胃の調子が悪くなる
- 頭痛や微熱が続く

↓

これらの症状が２週間以上続き、医師の診断を受けても身体的な問題が見つからない

ニュータイプのうつ病が増えている

また近年は、新しいタイプのうつ病が増えてきています。この新型のうつ病は**非定型うつ病**と呼ばれています。

気分が沈んだり不安になったり、頭痛や吐き気をもよおすなど、症状はおおむね従来のうつ病と同じものが現れます。異なっているのは、**一部の症状はうつ病の時とは正反対のものが現れること、また自分にとって都合のよい時や好ましいことがある時には症状が回復する**ことです。

例えば、仕事や学校に行く時にはうつ状態になるのに、仕事が終わるとたんに気分がよくなり、元気に遊びに出かけたりします。うつ病特有の症状とされる食欲の減退や不眠ではなく、過食や過眠の症状が現れるのも非定型うつ病の特徴です。それで

非定型うつ病
正式な名称ではないが、はっきりした定義がまだないため、便宜上このように呼ばれている。アメリカの精神医学会が２０００年に策定した指針では、うつ病と同じく気分障害のひとつとされている。

いて、自分が他人から拒絶されることに対しては敏感になるため、社会不安や対人恐怖の傾向が現れます。

そのため、非定型うつ病になった人は、周囲の人たちからは「なまけている」「自分勝手な人だ」という印象で見られがちです。しかし、**本人はなまけているわけでも自分勝手に振る舞っているわけでもなく、本当はどうしていいかわからずにつらい思いをしているの**です。

ですから、管理職など部下を持つ立場の人などは一般的なうつ病だけでなく、このような新しいうつ病があることも知っておきましょう。「お前はなまけ者だ」と頭ごなしに叱ってはダメで、専門家の診断を受けさせるなど適切な対処をしなければならないからです。うつ病は**自殺**とも大きな関係があります。そうならないためにも、本人への理解を示すことが大切です。

うつ病と非定型うつ病

	従来のうつ病	非定型うつ病
食生活	食欲がなくなる	過食になる
睡眠	不眠になる	過眠になる
気分の状態	ずっと気分が落ち込む	好きなことをしている時には気分がよくなる

非定型うつ病は、従来のうつ病とは症状が異なるので、病気だと受け止められないこともあるから注意が必要ね

うつ病と自殺
世界保健機関（WHO）が精神疾患と自殺との関係について調べた調査では、精神疾患が原因で自殺した人のうち約3割がうつ病に該当したという結果も報告されているという。うつ病は死にかかわる問題なので、安易に対処するのは禁物だ。

あなたの「やる気スイッチ」を押せ！

なぜ〝やる気〟が出ないのか

家庭教師のバイトを始めたA野君
まずは苦手な教科を克服しよう
ビシビシきたえるぞっ!!
そのかわり志望校に見事合格した暁にはー
お兄さんが新型ゲーム機をふんぱつしようじゃないか!!
30分後
スピ〜〜
……
こんなダメ大人にならないように…
がんばらなきゃ!!

本当のやる気は内側からわいてくる

　あなたはひょっとして、勉強をしようと思ってもなかなか手につかなかったり、だらだら仕事をして片づかなかったりする、なかなかやる気が起こらないタイプの人ですか。もしそうなら、あなたは**達成動機**が弱い人だといえます。

　心理学では、いわゆる「やる気」は達成動機という言葉で表すことができます。達成動機とは、目標を達成しようという動機づけのことです。達成動機が高い人は、難しいことでもそれを乗り越えて、自分の力で目標を達成しようと努力します。

　では、あなたが自分の子供や部下にやる気を起こさせようと思ったら何をしますか。叱ったりほめたり、ご褒美や罰を与えたりするなど、アメとムチによってやる気を起こさせることを**外発的動機づけ**といいます。外発的動機づけはそれなりに効果を発揮しますが、外側からのやる気だけでは本当のやる気とはいえません。

　外発的動機づけの効果は一時的なもので、人間が本来持っているやる気をかえって低下させることがあり、行動が長続きしません。勉強をしない子供を叱りつけてしぶしぶ机に向かわせたとしても、その子供は親からの叱責を回避するために見せかけの勉強をしているだけで、やる気が起こったから勉強しているわけではないのです。

　外発的動機づけとは別に、その人の好奇心や興味によってやる気がもたらされるのは**内発的動機づけ**といいます。本当のやる気を起こさせるには、自分がすべき勉強や仕事の意味や大切さに気づかせるなどして上手に内発的動機づけを行い、**内側からのやる気を起こさせる**ことも必要なのです。

達成動機
アメリカの心理学者**マレー**は、人間には以下のような欲求があり、これらを達成しようとすることによってその人の行動が規定されると定義した。
①難しいことを成し遂げる
②自然・人間・思想に精通し、それらを処理し、組織化する
③それらをできるだけ速やかに、できるだけ独力でやる
④障害を克服し、高い水準に達する
⑤他人と競争し、他人をしのぐ
⑥才能をうまく使って自尊心を高める

性格は生まれつきか、環境によるものか？

性格をつくるものは何か？

一卵性双生児
P子&Q子
2人はやっぱり性格とか似てる？
いや、むしろ正反対ね
P子はせっかちで私はおっとり
でも男の好みとか怖いくらい似てない？
どよ〜〜ん…
そうそう!! 同じ相手好きになって何度ケンカになったことか…
う〜ん 結局性格って
遺伝子と環境のどっちが重要なんだろう…？

違う環境で育った双子でも性格が似ることがある

心理学では古くから、**性格**はキャラクターとパーソナリティという2つの言葉で定義されてきました（P１４３参照）。**キャラクターとは、環境要因よりも生得的な素質を重視した考え方です。一方、パーソナリティは生育環境や経験などの環境要因の影響を重視した考え方**です。

それでは、人の性格は先天的な要素と後天的な要素のどちらに強く影響を受けるものなのでしょうか。実は、性格をつくる決定的な要素は生まれる前と生まれた後のどちらなのか、現代においてもいまだにはっきりとはわかっていません。

一般的な認識としては、人の考え方や行動は環境や経験、学習など後天的な要素によって身につくものと考えられているようです。性格を決定づける重要な要素と考えられているものには、①親からの遺伝や継承、②家族（特に兄弟・姉妹）の構成、③地域性や民族性の違い、④カルチャーショックや大きな事故など衝撃的な体験、などがあります。

これを調べるための研究として、**双生児法**という方法があります。一卵性双生児のきょうだいは同じ受精卵から生まれるため、遺伝子は１００％同じです。一方、二卵性双生児のきょうだいは別々の卵子から生まれてくるため、普通のきょうだいと同じ程度の遺伝子の相違があります。もし一卵性双生児のきょうだいも二卵性双生児のきょうだいも性格にあまり差が見られなければ、性格は環境によってより多くの影響を受けることになります。

性格
Aさんの過去の言動や普段の態度に一定のパターンがあり、いかにもAさんにふさわしい行動をとったりすることが多い場合、「Aさんはわかりやすい性格だ」などと言ったりする。このように、性格とは持続性や一貫性をもった行動に現れるものと理解されている。

性格や知能は遺伝するか？

一卵性双生児でも、同じ環境で育てても性格や知能に違いが出るし、異なる環境で育てても似ることがあることがわかった。

双生児の知能指数の相関関係（50＝平均、100＝完全一致、0＝不一致）	
同じ環境で育った一卵性双生児▶**92**	同性の二卵性双生児▶**55**
違う環境で育った一卵性双生児▶**87**	異性の二卵性双生児▶**56**

遺伝と環境が相互に作用してでき上がる

しかし、同じ環境で育った一卵性双生児と違う環境で育った一卵性双生児を比べてみると、後者でも性格が似てしまうケースがよく見られることがわかっています（上図参照）。つまり、**後天的要素が性格を決定づけるものとは一概にはいえない**ことになります。

ということは、性格は先天的な資質、つまり親からの遺伝によって決まるものなのでしょうか。ところが、双生児法の研究によるデータは必ずしも一致するわけではなく、先天的要素が大きく影響しているという確たる証拠とはいえないのです。

性格を決定づける要素についての学説に、アメリカの心理学者**ジェンセン**が提唱した**環境閾値《いきち》説**があります。これは、ある

性格の分類法
心理学では、人の性格をいくつかのタイプに分けて考える。その分け方にはさまざまな種類があるが、**ユング**による**内向型と外向型**（Ｐ１４３参照）や、ドイツの精神医学者**クレッチマー**が提唱した**体格別性格分類法**（Ｐ１９１参照）などが有名。

人が遺伝の影響を受けて才能を開花させるためには、それが現れるのに必要な環境が一定の水準（閾値）で与えられていることが前提であるという考え方です。例えば、体型や知能などは遺伝の影響を受けやすいのですが、学力を向上させたり語学を習得するためには、そのための環境が用意されていなければならないということです。

したがって「人の性格は遺伝で決まるか、環境で決まるか」は、結論として**生まれながらの先天的要素と、環境や成長していく過程で身につけていく経験や学習の両方によって、その人の性格が形づくられている（相互作用説）**と考えるのが妥当だといえるでしょう。持って生まれたキャラクターに、その人が生きていく中でさまざまな色づけがなされ、十人十色のパーソナリティができあがっていくのです。

体格によっても性格が決まる？（体格別性格分類法）

筋肉質型＝粘着気質

- 几帳面でねばり強く、頑固
- 真面目で正義感が強い
- 言い出したら聞かないことがある
- 急に怒り出すなど、興奮しやすい

肥満型＝躁うつ気質

- 明るく社交的で、人に対して親切
- ユーモアがある
- 感情にムラがあり、突然落ち込んでうつ状態になることがある

やせ型＝分裂気質

- もの静かで控えめ
- 非社交的で、自分の世界に閉じこもりがち
- 神経質で生真面目
- 周囲には無頓着

ドイツの精神医学者クレッチマーによれば、人の性格は体格とも一定の関連性があるのよ

第3章
自分のこころがわかる

現実では満たされない願望が夢
なぜ夢を見るのだろう？

夢のメカニズムは
レム睡眠とノンレム睡眠

あなたはよく夢を見ますか。人が夢を見る理由はまだはっきりとは解明されていませんが、大きな理由として考えられているのは、**現実で満たされない願望を夢の中で実現させようとしている**ためです。

睡眠には、**レム睡眠**と**ノンレム睡眠**の2つがあります。レム睡眠は、体の疲労を回復させるための浅い眠りの状態、ノンレム睡眠は深い眠りの状態です。レム睡眠の時には、起きている時と同じように脳波が動いており、血圧も高く呼吸数も多くなっています。一方、ノンレム睡眠の時には血圧が下がり、呼吸数も減少しているので安らかな眠りになります。

夢は、主にレム睡眠の時に見るといわれていました。レム睡眠とノンレム睡眠は、約90分周期で交互に繰り返されます。したがって、睡眠を8時間とった場合は一晩に4～5回も夢を見ていることになります。「一晩にそんなにたくさん夢を見るわけがない」と思う人も多いでしょうが、レム睡眠からノンレム睡眠に移行する時に見た夢は忘れられてしまうという説があります。起きた直後に覚えている夢は、最後のレム睡眠時に見た夢というわけです。

しかし、最近の研究では**ノンレム睡眠の時にも夢を見ている**ことがわかっています。レム睡眠の時に見る夢は比較的はっきりしており、起きている時には思い出せないような古い記憶が再生される夢が多いようです。一方、ノンレム睡眠時の夢は内容ははっきりしないものの、比較的新しい記憶が再生される夢を見る傾向があります。**フラッシュバック**型の悪夢は、ノンレム睡眠時に見ていると考えられます。

レム睡眠とノンレム睡眠
アメリカの睡眠研究家**アゼリンスキー**と**クライトマン**が発見した。レム睡眠の「ＲＥＭ」とは「急速眼球運動」の略で、レム睡眠時にはまぶたを閉じていても眼球がぐるぐる回っている様子が確認できる。

フラッシュバック
ＰＴＳＤ（心的外傷後ストレス障害）の症状のひとつで、**トラウマ（心的外傷）**となっている過去の体験が突然よみがえったり、その出来事に関連した悪夢を見たりする。

夢で自分の本心がわかる？

自分の夢を分析してみよう

昨晩空を飛ぶ夢を見ました…
それは君の性的衝動のあらわれだよ
フロイト!?
ユング!?
いやいや無意識の象徴的表現だ
心理学界の二大スターに会えるなんて
夢みたい♥
夢です。

フロイトとユング それぞれの夢分析

あなたは最近、どんな夢を見ましたか。何か意味ありげな夢を見たら気になりますよね。心理学では、夢には実際にその人の深層心理が表れるとされています。

心理学の分野で、夢を科学的に解明するためにはじめて夢の分析を試みたのが、有名な心理学者の**フロイト**です。「**夢には、その人が無意識に抱いている潜在的な願望が表れている**」というのがフロイトの考えで、さまざまな事例をもとに**夢分析**を行いました。夢を見た人の心の中を深く知り、その人がどんな願望を持っているか、どんな悩みを抱えているかを解明しようとするのが、フロイトの夢分析の特徴です。例えば「空を飛ぶ夢」は、フロイトによれば性的欲求の高まりの表れで、それをより生活に結びつけて解釈して「現実の厳しさからの逃避」あるいは「自分の限界への挑戦」と分析しました。

夢を無意識の手がかりとしたフロイトに対し、夢は無意識の象徴的表現で、夢そのものが無意識についての解釈であると考えたのが**ユング**（P167参照）です。ユングは、無意識には**個人的無意識**（人が本来持っている無意識）と**普遍的無意識**（人類が共通して持っている心の動き）があり、これら2種類の無意識が潜在的な願望になって表れたものが夢であるとしました。

またユングの夢分析では、夢には**主体水準と客体水準**という2つの解釈があるとしています。例えば、夢の中に自分の上司が現れた場合、現実の自分と上司との関係に関連づけて解釈するのが客体水準で、上司によって象徴される自分の心の中の原因は何かと考えるのが主体水準の解釈です。

フロイト
（1856〜1939）
オーストリアの精神科医。臨床医としてヒステリー患者の催眠治療にあたるうちに、人間の行動はその人の無意識の願望に深くかかわっていることを発見した。このフロイトが唱えた**心的決定論**は衝撃をもって迎えられ、コペルニクスの地動説、ダーウィンの進化論とともに「近代人の科学による3大ショック」と呼ばれることもある。
フロイトは無意識の研究をはじめ、人が本能的に持っている性的衝動である**リビドー**など、心理学の分野で数々の概念を発見したため、ユングと並ぶ心理学の巨人と讃えられている。

夢に隠された
メッセージを読み取ろう

フロイトの夢分析でもユングの夢分析でも、夢に自分の意識下にある欲求が表れていることは共通しています。

ここでは、一般的によく見る夢には具体的にどのようなメッセージが隠されているのか、その解釈を紹介します。

空から落ちる夢

空を飛ぶ夢（P195参照）とは逆に、落下する夢は何かというと、現実の世界で何かを失ったり、失敗することに対する不安や恐怖の表れだとされています。

乗り物に乗り遅れる夢

列車に乗る夢は死を意味しているといいます。つまり、乗り遅れたのは死から遠ざかったということで、安心していい夢ということになります。同じ乗り物でも、バスやタクシーは自分を目的地まで安全・着実に送り届けてくれるので、「自分をリードして安定した生活に導くパートナーが欲しい」という願望を表しています。

追いかけられる夢

刑事や泥棒、猛獣や怪物など、追いかけてくるものは社会のルールや親、性的欲求などを象徴しています。それにつかまってしまうことを恐れながらも、半ばつかまってみたいという願望が表れています。

食べる夢

自分自身に満たされなかった願望があることを意味しています。願望の種類は、性欲、金銭欲、権力欲、名誉欲など、その人によってさまざまです。

夢と願望

夢には、覚えている夢と覚えていない夢がある（P193参照）。よく覚えている夢は、その人の本当の願望が姿を変えたものである可能性が高い。

火事の夢

火事の夢はすさまじい恐怖や不安を感じるが、同時に何かしらの恍惚感を感じる場合もある。火事の夢を見るのは、自分が一時的な情熱にとらわれていることを意味している。

裸の夢

　裸で風呂に入っている夢は、他人にとがめられずにセックスを楽しみたいという願望の表れとされています。風呂場では裸でいるのが当然なので、自分の性欲も公認されたいというわけです。異性の裸は夢見ているものの願望を、子供の裸は将来への祈りや幸運を象徴しているといいます。

セックスをしている夢

　セックスそのものの夢は、必ずしも性的欲求の願望と結びつくわけではないとされています。意欲的に新しいことをやろうとしている時によく見るようです。

　夢を分析することは、今まで知らなかった自分に気づくきっかけにもなります。自分について考えたり、自分の生活をかえりみたりする時に役立ててください。

夢分析をやってみよう

夢が意味するもの

夢の中に出てきたもの	象徴しているもの
乗馬、登山、階段やはしごを登る	セックス
剣など尖ったもの、ピストル、ネクタイ、魚、ヘビ、トカゲ	男性器
箱、たんす、収納容器、洞窟、船	女性器
水中に落下する、水中からはい上がる	誕生
旅立ち、鉄道での旅行	死

夢分析を行う際のポイント

POINT 1　夢をできるだけ見たままに、詳しく思い出す

POINT 2　見た夢から連想されることを書き出す

POINT 3　見た夢と、現実の出来事とを対応させる

POINT 4　自分の心をごまかさずに、分析した結果を素直に受け止める

夢からは、自分では気づくことができないメッセージを読み取ることができるのよ

あなたはどんな姿勢で眠っている？
寝姿で性格がわかる？

寝相いろいろ！
完全なる胎児
半胎児
うつ伏せ
鎖につながれた囚人
王者
スフィンクス

寝姿も夢と同じく無意識が反映された姿勢

夢分析（P195参照）は、人の深層心理を知るための有効な手段として知られていますが、寝ている時の姿勢、つまり**寝姿**（**寝相**《ねぞう》）**にもその人の心理状態が表れる**ことがわかっています。夢に無意識の自我が表れるのと同様、寝姿も無意識の姿勢であるため、その人の性格や深層心理と何らかの関係があると考えられています。

人は一晩のうちに何度も寝返りをうつので寝姿は一定ではありませんが、特徴的な寝姿（P198参照）からその人の性格を分析してみましょう。まず、顔や内臓を隠すように丸まって眠る完全な**胎児型**は、自分の殻に閉じこもりがちでいつも誰かに守ってもらいたいと考えるタイプの人です。横を向いてひざを少し曲げる**半胎児型**の人は、バランスのとれた安定した人柄で、人に安心感を与えます。

ベッドを独占するかのように**うつぶせ型**で眠る人は、支配欲が強くいつも自分が中心になっていないと気がすまないタイプで、几帳面で神経質な人です。あお向けになって眠る**王様型**の人は堂々としていて自信家、またオープンな性格で柔軟な姿勢も持ち合わせています。

ひざを離してくるぶしを交差させる**鎖につながれた囚人型**の人は、仕事や人間関係に不安や悩みがある場合が多いようです。くるぶしを重ねる姿勢は、悩みを抱えていることを示しているそうです。背中を丸く持ち上げ、ひざまづいて眠る**スフィンクス型**は子供に多い姿勢ですが、眠りの浅い人やよく眠れない人にもみられます。早く目を覚まして、現実の世界に戻りたいと望んでいる証拠といえます。

寝姿
アメリカの精神分析医**ダンケル**は、多くの患者と面接した経験から、夢だけでなく寝姿からもその人の性格やその時の状況、自分が抱えている悩みなどが深層心理として読み取れることを発見した。

COLUMN 03

ケンカするほど仲がいい？
親しい人への怒り

人とケンカしたり、意見が対立した経験は誰にでもあることですが、自分の親兄弟や恋人など特に親しい人と対立した時、怒鳴ったり泣きながら非難するなど、いつも以上に強い怒りを相手にぶつけてしまったことはありませんか。オーストリアの心理学者アドラーは、心を許した人に対する怒りは「裏切られた」という感情から生まれるとしています。そのため、他の人に対するものよりも激しい怒りをぶつけてしまうのです。「かわいさ余って憎さ百倍」といいますが、大好きだった恋人とケンカ別れしてしまった場合、もう相手の顔も見たくないほどの憎しみを抱いてしまうこともあります。

心理学では、正反対の感情に変わってしまう心理現象をカタストロフィーといいます。カタストロフィー理論では「相手に対して深い愛情がある場合、一度憎しみが生まれてしまうと憎しみの感情も深いものになる」とされています。相手が自分の望み通りにならなかったり、言ってほしくないことをズバリと言われたりすると、「そんな人だとは思わなかった」「こんなに愛しているのに裏切られた」という感情がわき起こり、一気に激しい憎しみに変わってしまうのです。

親しい人とうまくつき合っていくためには、アメリカの精神分析医ベラックが名付けた「ヤマアラシのジレンマ」を知っておくといいでしょう。つがいのヤマアラシが体を温めあうために身を寄せあうとお互いを傷つけてしまうし、離れすぎると寒さで凍えてしまいます。傷つけあうことも凍えてしまうこともない、お互いの適正な距離感を保っておくことを心がけましょう。

第4章
こころのしくみがわかる

人間のこころは、そもそもどのようなものなのでしょう。
人間の成長や環境によって変化していくものなのでしょうか。
最後にこころのしくみについて解き明かしていきます。

相手の顔を覚えられない人はどうしたら？

人の顔を認識するしくみ

大人と子供では顔の識別能力は異なる

あなたは、一度会った人の顔は忘れない方ですか。あいさつされた相手の顔を思い出せずにしどろもどろになったりすると、人間関係にも支障をきたします。

コミュニケーションには言葉による**言語コミュニケーション**と、表情やしぐさなど言葉によらない**非言語コミュニケーション**（P67参照）があります。**顔は、その人が誰であるかを識別する有効な手段**であるだけでなく、相手の顔が覚えられないと、相手とのコミュニケーションもうまくいかないことになります。

人の顔を覚える秘訣は、何よりもその人の顔の特徴に注目することです。相手の顔を記憶する際、とらえる特徴によって記憶しやすくなる効果があります。具体的には、①顔が四角いとか口が大きいとか、他の人とは違った形状を持つ顔は記憶しやすい（**孤立効果**）、②「あの人は丸顔で温和な性格のAさん」といった具合に、顔から受ける印象をその人の性格や特性と結びつけると記憶しやすい（**意味処理優位性効果**）、③初めて会う人よりも、会ったことがある人の方が思い出しやすい（**既知性効果**）という3つの特徴があげられます。

なお、大人と子供では人の顔の認識能力に差があります。大人は顔全体を統一されたイメージとして記憶することでその人を認識できますが、そのような能力は10歳程度にならないと備わりません。子供は目・鼻・口といった顔の部分ごとに認識しているので、大人と同じように人の顔を覚えることができないのです。よく知っている人でも、眼鏡をかけただけで誰なのかわからなくなってしまうこともあります。

意味処理優位性効果
顔のかたちとその人の性格や特性を関連づけて覚えておくと、記憶が確かなものとなる。すべての人にあてはまるわけではないが、丸顔＝温和のほかにも、四角い顔＝頑固、逆三角形型＝頭がよい、タマゴ型＝意志が弱い、大きい顔＝自己主張が強い、小さい顔＝内向的、といった傾向があるようだ。

赤ちゃんの時の記憶はどこへ

あなたの最も古い記憶は何ですか?

幼児期の胎内回帰願望
A野くん(5歳)
押入れがボクの
ヒミツ基地なのら〜
C乃ちゃん(5歳)
こたつにもぐると
安心だニャ〜〜ン
B子ちゃん(5歳)
毛布にくるまるの
だーいちゅき!!
D之内くん(5歳)
全身タイツのフィット感が
最高でちゅ♥
どんな子供だよ!?

人は胎児の時の記憶を覚えている？

あなたが「最初の記憶」として覚えていることは何でしょうか。母親に叱られたことでしょうか、迷子になって大泣きしたことでしょうか。個人差はありますが、**人が最も古い記憶として覚えているのは3歳前後の時のこと**だといわれています。それより古い記憶となると、覚えていない人がほとんどのようです。

それでは、赤ちゃんの時の記憶は消えてなくなってしまうのかというと、どうやらそうではないらしいのです。一部の人は、胎児期や出産の時のことを忘れずに覚えているといいます。こうした**胎内記憶**を持っているという人たちによる、「暗くてふわふわしていた」「温かくて気持ちのよいところだった」といった体験談を見聞きした人もいるかもしれません。この人たちのように意識的に覚えているかどうかはともかく、**人は胎児期の記憶を持っており、それが普段は無意識の領域に収められている**と考えられています。

その記憶が時々、子宮への郷愁という形で現れることがあるとする説（**胎内回帰願望**）があります。例えば、幼児が毛布にくるまっていると安心できたり、押し入れや家具のすき間など狭いところで遊びたがるなど、子宮を連想させる狭くて暗い、温かい場所を好む傾向があるのは、母親の胎内にいた頃のことを懐かしがる心理だというわけです。

胎内回帰願望は科学的に実証されているわけではありませんが、あなたの知り合いに狭くて暗い場所を好む人がいたとしても、心理学的にはそれほど変わった嗜好ではないということになりますね。

胎内回帰願望
根拠のある話ではないが、鳥居が女性器、参道が産道を象徴するものとして、神社の由来を胎内回帰願望に求める説もある。古代の墓である古墳やピラミッドも、一説には母胎に由来するとされる。

赤ちゃんはいつ〝自分〟を認識する？

人の自我が生まれるしくみ

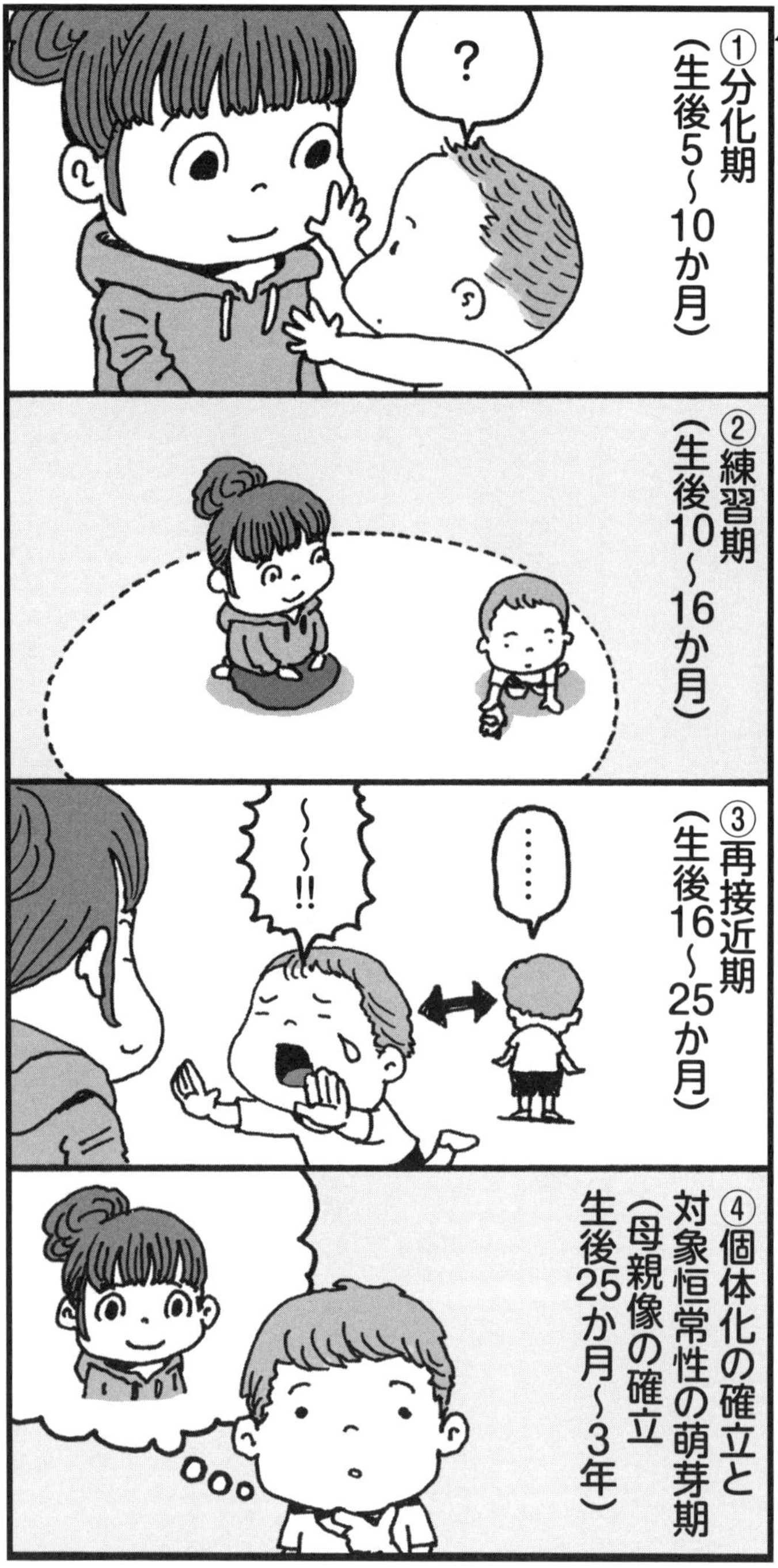
①分化期（生後5～10か月）
？
②練習期（生後10～16か月）
③再接近期（生後16～25か月）
……
～～!!
④個体化の確立と対象恒常性の萌芽期（母親像の確立 生後25か月～3年）

母親とのかかわりから自己が確立されるまで

人は赤ちゃんのうちは、生きるために本能によって欲求を満たそうとしますが、やがて**自我**が芽生え、生きていくために従うべき社会的なルールを学んでいきます。時にはそのルールに反しながらも、社会で生きていく方法を学んでいくのです。

ところで、人はいつ頃から自我を確立していくのでしょう。ハンガリー出身の女性精神科医**マーラー**が提唱した**発達理論**によれば、生まれてから数週間は母親との一体感の中で生きており、生後2〜5か月で漠然と自分の内と外を区別することができるようになります。そして、生後5か月〜3歳ぐらいで母親から分離し、個体としての自立意識を獲得していきます。

子供が母親から分離し、個体化するまでのプロセスは、次の4段階に分類されています。①まず、生後5〜10か月で子供は母親の腕の中やひざの上から少し離れて行動し、手を伸ばして母親の顔をさわったりして自分と他人の区別をしようとします（**分化期**）。②生後10〜16か月は歩行ができるようになり、身近にあるおもちゃなどに興味を示しますが、母親を基地として行動範囲を決めていきます（**練習期**）。③生後16〜25か月で母親から離れて自由に行動できるようになりますが、母親から離れることに不安も感じており、母親に近づいたり離れたりを繰り返すことによって適切な母親との心理的距離を見つけ出していきます（**再接近期**）。④生後25か月〜3年で、母親がそばにいなくても自分の情緒の中に安定した母親像を確立させ、自己の一貫性を確立していくのです（**個体化の確立と対象恒常性の萌《ほう》芽《が》期**）。

発達理論
一方、オーストリアの女性精神分析家**クライン**は、1歳以前の乳児期には無意識的な幻想が存在するという仮説をたて、それが自己の確立に重要な影響を及ぼしていると考えた。クラインは、①生後3〜4か月の時期は、子供の対象は母親ではなく母親の乳房であり、部分対象としてしか関係を持てない（妄想－分裂態勢）、②生後5か月〜1歳で全体的な人格として母親の認識が生まれる（抑うつ態勢）とした。

心理学における大人への成長とは?

子供から大人への成長過程

将来
何の仕事につきたい?
うーん
まだわかんないな
モラトリアムだから
でも
就職活動はするんだろ?
うーん
それもまだ
モラトリアム…
お客様
ご注文は何になさいますか?
ちょっと待って
もう少し
モラトリアム
…
お前
モラトリアムの意味
わかってないだろ!?

アイデンティティの確立が青年期の重要課題

あなたは、人はどうなったら子供から大人に成長すると考えていますか。一般的に、体における大人への成長は**第二次性徴**が現れる時期といわれていますが、心の成長はいつ頃からなのでしょう。

心理学では、人が子供から大人に脱皮するのは、青年期における重要課題である**アイデンティティ**（P93参照）の確立ができた時だとされています。人は成長してくると、自分の存在意義について考えるようになります。具体的には、自分は将来どのような人間になり、どんな仕事に就けばよいのだろうか、といった疑問です。

つまり、両親に依存しなくなり、自立が必要になった時に「自分は何者なのか」ということを考えるようになるのです。青年期には両親から心理的に自立しようとし、自分自身の価値を確立しようと努めます。その過程で社会とのつながりを意識するようになり、社会の中に自分自身を位置づけてアイデンティティを確立するのです。

アイデンティティの概念を提唱したアメリカの心理学者**エリクソン**は、アイデンティティを確立しようとする思春期の青年には、①自意識過剰になるために自信を失う、②社会的に望ましいとされている考えを否定したくなる、③時間の感覚が鈍くなって未来がイメージできず、自殺願望が出てくる、④性的アイデンティティが混乱し、異性への恐怖などが起こる、⑤理性を多く持ちすぎて、かえって価値観が混乱する、⑥服従あるいは反抗するなど、権威に対して適切に対処できなくなる、⑦趣味などに没頭して仕事や勉強に取り組めなくなる、などの葛藤《かっとう》がみられるとしています。

第二次性徴
生まれた直後から見られる男子・女子の身体的な差異を**第一次性徴**というのに対し、思春期の頃に見られる急激な身体的発達を第二次性徴と呼ぶ。男子には声変わり、体毛の発達、射精、女子には乳房の発達、皮下脂肪の発達、初潮などが見られるようになる。

現代社会を象徴するモラトリアム人間

このように、青年期までにアイデンティティを確立しておくことは、人間の発達過程において重要な役割を果たしています。

しかし、近年は成人してもアイデンティティを確立できず、親からも自立できない若者が増えてきています。身体や知能は一人前になっているのに、社会人としての義務や責任から逃避しようとするのです。

日本の精神分析学者**小此木《おこのぎ》啓吾《けいご》**は、このような人を**モラトリアム人間**と呼びました。モラトリアムとは、「支払猶予期間」という意味の経済用語を、エリクソンが「しばらくの間やめること」という本来の意味で、「成年が社会の責任や義務を負うことを免除されている状態」を表す言葉として心理学の分野に転用したものです。

近年のモラトリアム人間の増加は、社会環境の変化にその原因があるといわれています。複雑化した現代社会では、価値観の多様化などによってアイデンティティの形成が十分にできないのです。昔と比べて食糧事情が良くなったために身体的には若年のうちに成熟してしまうこと、また高学歴化が進んだことによる社会学習の期間、つまり**モラトリアムの期間が延長されている**ことなども、モラトリアム人間が増えている原因とされています。

一般的に人は、就職を契機として経済的に親から自立し、また結婚も大人としての自覚を持つ契機となります。つまり、今までは就職や結婚、子育てと、一定以上の年齢になるとアイデンティティを確立すべき出来事が待っているというケースが多かったのですが、現在は自立すべき年齢になってもアイデンティティを確立できず、やる

モラトリアム期間の延長
青年期とは12～13歳ぐらいから始まり、20～22歳ぐらいで終わるものとされてきた。しかし、第二次性徴（P209参照）が早く出現する傾向、女性の高学歴化や社会進出などによる晩婚化の影響、フリーターやニートの増加などから、近年は青年期の終期が先延ばしにされ、青年期が延長・長期化される傾向がみられる（**青年期延長説**）。

モラトリアム人間とかつての若者

モラトリアム人間	数十年前の若者
全能意識　自分は未熟だと思わず、根拠もなく何でもやれると思い込む。	半人前意識
解放的　浪費や性などにおぼれる生活を送る。	禁欲的
遊び感覚　遊びが新しい価値観を持ち始めたため、勉強よりも趣味などを楽しむ。	修行感覚
隔たり　社会の価値観や行動様式に同化せず、冷めた目で社会を見ている。	同一化
無意欲・しらけ　自立しようとせず、社会の動きに無関心。	自立への渇望

小此木先生によれば、昔の若い人と今のモラトリアム人間の違いをまとめると、このようになるのだ

べきことが決まらない人が増えているのです。その結果、働いてはいるが定職に就かないフリーターや、就労も就学もしない**ニート**となる若者が急増し、社会問題にもなっています。このような人たちの心理的状況を、エリクソンは**アイデンティティ拡散（同一性拡散）**と呼びました。

また、世の中には年齢的には大人でも、行動や感情が幼児のようにわがままで、嫌なことがあると仕事をおろそかにする男性もいます。このような人を、アメリカの心理学者**カイリー**は**ピーターパン・シンドローム**と呼びました。ピーターパン・シンドロームの人は精神的に未熟で傷つきやすい傾向があり、就職などの社会活動に消極的、就職していたとしても自分の役割や責任を十分に果たそうとしないという特徴があるなど、ニートとの共通項が多いことが指摘されています。

ニート
「ノット・イン・エデュケーション・エンプロイメント・オア・トレーニング」の略語（NEET）で、就学・就労・職業訓練のいずれも行っていない状態を指す。日本では「就職も就学もせずに家に引きこもっている若者」というニュアンスで使われることが多い。

ピーターパン・シンドローム
誰も永遠に齢をとらず、成長もしないネバーランドに住んでいるピーターパンが「永遠の少年」と呼ばれることに由来する。

「総領《そうりょう》の甚六《じんろく》」は心理学的に正しい 兄は兄らしい性格になる？

お兄ちゃんなんだからガマンしなさい
……
D之内（5歳）
お兄ちゃんなんだからガマンしなさい
……
D之内（10歳）
お兄ちゃんなんだからガマンしなさい
……
D之内（15歳）
お兄ちゃんなんだからガマンしなさい
D之内（25歳）
お前らのお兄ちゃんになった覚えはないわ〜〜！

親の接し方で決まるきょうだいの性格

読者の中できょうだいがいる人にお聞きしますが、あなたと性格は似ていますか、それともずいぶん違いますか。同じ家庭環境で育ったのに、**きょうだいでも性格が違う**ことがあるのはなぜなのでしょう。

その理由はいろいろ考えられますが、一番の原因と考えられるのは**親の接し方**です。親は、最初に生まれた第一子に対しては「早く一人前になってほしい」と考えるのに、末っ子には「子供のままでいてもらいたい」という意識がはたらく傾向にあるといわれています。こうした親の態度や意識の違いが子供に大きく影響し、第一子的な性格や末っ子的な性格になるのです。

親は「お兄ちゃんなんだから我慢しなさい」などと言って、年上の子供にお兄ちゃん・お姉ちゃんらしくさせることが多々あります。そのため、**第一子は周囲に気をつかったり、ものわかりがよい**といった性格を自然に身につけてしまうようです。

一方、**第二子以降の子供は自信家になりやすい**といわれています。けんかをしても手加減されて勝ってしまったり、兄や姉だけ怒られて自分はおとがめなしだったり。こういう環境で育った子供は**自尊感情**が強く、自信家になる傾向があるのです。「総領の甚六（長男・長女はむしろ弟や妹よりものわかりがよく、おっとりした性格になることが多い）」ということわざがありますが、これは心理学では正しいのです。

そして一人っ子は、小さい頃から1人で遊ぶことが多く、きょうだいげんかや我慢させられるなどの機会が少ないため、わがまま、飽きっぽい、協調性や競争心がないなどの性格が形成されるようです。

きょうだいの性格
第一子と一人っ子に共通する性格として、**孤独が苦手**というものがあり、これは実験でも証明されている。第一子や一人っ子は親への依存度が高いため、他者とともに行動したがる**親和欲求**が高いからだと考えられている。

自尊感情
「自分には価値があり、尊敬されるべき人間である」と思える感情のこと。心理学では「自信」「自尊心」とほぼ同義で使われる。

なぜ赤ちゃんはママが大好きなのか
親子の絆はどこから?

C乃さんは子どもほしいとか思います?
今はまだ実感ないわね彼氏もいないし…
私、ちゃんとしたお母さんになる自信ないな…
虐待のニュースとか聞くと、不安になりません?
わかるわかる 自分の子をかわいいと思えなかったら悲劇よね…
そこは心配ないわよ
赤ちゃんの方が好きにさせてくれるから!!
泣いたり笑ったり抱きついたり
あれは赤ちゃんが親の注意や関心を自分に向けさせるメカニズムなの
へ～!!

「刷り込み」が親子の絆をつくるという説も

親と子の絆が成立するメカニズムについては、これまで発達心理学（人の成長に伴う発達的変化を研究する心理学の分野）の観点からいくつかの理論が提唱されてきました。親子の絆を最初に解明しようとした理論が、アメリカ・スタンフォード大学の**シアーズ**が提唱した**二次的動因説**です。赤ちゃんは、お腹がすいた、のどがかわいたといった**生理的欲求（一次的動因）**を母親に求め、母親は赤ちゃんの生理的欲求を満たすと同時に愛情表現を示します。これが繰り返されることで、赤ちゃんは母親の愛情を欲しいという欲求（**二次的動因**）が強くなっていくというものです。

これに反論したのが、動物行動学の研究でノーベル医学生理学賞を受賞したオーストリアの動物学者**ローレンツ**です。ローレンツは、生まれたばかりの鳥類の行動を観察することによって親子の絆はどこから来るのかを調べました。すると、鳥類のうちニワトリやアヒル、カモなど、孵化《ふか》してからすぐに開眼して歩行できるものは、孵化した直後から一定の時間内に受ける刺激に対して、追いかけたり、近づいたりするなどの行動をとることを発見しました。例えば、親鳥でなくても他の動物や人間、モーターで動くおもちゃにもついて行ったりするのです。この現象は**インプリンティング（刷り込み）**と呼ばれています。

ローレンツは、この現象は人間にも当てはまるものとしました。つまり、乳児には生まれてからしばらくの間は「どの人が自分の親であるか」を刷り込むための**敏感期**があり、その敏感期の間に親子の絆が築かれるのだと結論づけました。

二次的動因説
赤ちゃんの生理的不快の軽減と母親の愛情表現が繰り返されると、やがて赤ちゃんの欲求は生理的不快の軽減ではなく母親の愛情そのものに変わっていくという理論。長らく有力な説と考えられていたが、**ローレンツ**や**ハーロー**の反証によって否定された。

子供の親に対する愛着で絆が形成される

一方、霊長類の行動を研究したウィスコンシン大学の心理学教授**ハーロー**は、アカゲザルの子供を用いた実験で母親への愛着の正体を調べました。檻の中に母ザルの代わりとして2体の人形（1体は胴体が針金製の人形で、取りつけられた哺乳瓶からミルクが出る。もう1体はミルクは出ないが、胴体をビロードの布で包んでいる）を置きました。すると、子ザルはほとんどの時間をビロード製の人形に抱きついて過ごし、ミルクを飲む時だけ針金製の人形に近づくことが確認されました。また、針金製の人形だけを代理母として育てられた子ザルは、協調性の欠如や攻撃行動、他の子ザルとうまく遊べないなど、成長の過程に問題があることがわかりました。

このことから、**子供は身体的な接触（スキンシップ）と母親のぬくもりによって母親に愛着を抱く**のだとハーローは考えました。このように、母親のぬくもりが不安をやわらげることで子供が母親に愛着を抱くことを**接触の快**といいます。

イギリスの小児科医**ボウルビィ**は、親子の絆を「生まれてから数か月の間に特定の人（主に母親）と結ぶ情緒的な絆」と定義しました。赤ちゃんは身近にいる母親に対して、不快な時は泣いたり、うれしいときは笑ったり、不安な時はじっと見つめたりと、多くのはたらきかけをします。そうした赤ちゃんの反応を母親が受け止めることで**アタッチメント（愛着）**が形成されるというのが、ボウルビィの**愛着理論**です。

アタッチメントの対象は母親に限らず、乳児の行動にタイミングよく反応してくれる人に対して形成されます。ボウルビィ

スキンシップ
辞書を引くと「肌と肌との触れ合い。また、それによる心の交流」といった意味の言葉として載っているが、日本でしか通用しない英語なので注意。日本で言うスキンシップに該当する言葉は、英語圏では一般的に「タッチング」という。

アタッチメントが形成されるまで

第1段階
(誕生～生後3週間頃)
誰に対しても、じっと見つめたり微笑んだりする。まだアタッチメントは形成されない。

第2段階
(生後3週間頃～6か月頃)
よく世話をしてくれる特定の人(母親や父親)に対して、他の人よりも反応するようになる。

第3段階
(生後6か月頃～2歳頃)
特定の人の姿が見えないと泣き出し、戻ってくるとうれしそうに近づくなどの行動を示す。この段階でアタッチメントが形成される。

第4段階
(3歳以降)
特定の人の姿が見えなくても、その人との絆を心の中に持ち続けることができるため、短時間の不在では泣かなくなる。

ボウルビィの研究によれば、アタッチメント(愛着)は4段階のプロセスで築かれていくのよ

は、アタッチメントは4つの段階を経て形成され、それぞれの段階で相手への愛着の持ち方が変わってくることを発見しました。特に、生後3か月ぐらいまでは愛着の対象は両親に限定されず、不特定多数の人に向かうことがわかっています。

　個人差はありますが、誰とでも接することができていた子供が、生後5か月ぐらいになると母親以外の人に抱かれるのを嫌がったりするなど、急に人見知りするようになります。これは、生後3か月ぐらいまでは相手が誰であっても泣いたり笑ったりしてはたらきかけていたものが、おおむね生後5か月を過ぎると母親との間にアタッチメントにもとづく信頼関係ができ上がるからと考えられています。

　ボウルビィの愛着理論は、今日では発達心理学における親子の絆を説明するための基礎的な理論として支持されています。

アタッチメント
アメリカの心理学者**エインズワース**は、アタッチメントをさらに3つのタイプに分類した。
①親を避けようとする行動がみられ、親とかかわりなく行動しようとする**回避型**
②親と再会すると積極的に触れ合おうとし、親を活動の拠点とする**安定型**
③親に強い愛情を求める一方で敵意も見せるなど**相反した感情を抱くアンビバレント型**

重要語句索引

著者 渋谷昌三《しぶやしょうぞう》

1946年、神奈川生まれ。学習院大学卒業後、東京都立大学大学院博士課程修了。心理学専攻、文学博士。山梨医科大学教授を経て、目白大学社会学部教授。著書に『面白いほどよくわかる！心理学の本』（西東社）『「めんどくさい人」の取り扱い方法』（PHP 研究所）『本当の自分が見えてくる 心理学入門』（かんき出版）など多数。

マンガ にしかわたく

1969 年長崎県生まれ、東京都国分寺市育ち。マンガ家・イラストレーター。大学在学中に『月刊アフタヌーン』で商業誌デビュー。主な作品に『法廷ライターまーこは見た！漫画裁判傍聴記』『母親やめてもいいですか』（以上、かもがわ出版）など多数。

スタッフ

本文デザイン　小林麻実（TYPEFACE）
DTP　長澤亜紀（スタジオダンク）
編集協力　風間拓（フィグインク）　田辺准

マンガでわかる **心理学入門**

●協定により検印省略
著　者　渋谷昌三
マンガ　にしかわたく
発行者　池田士文
印刷所　大日本印刷株式会社
製本所　大日本印刷株式会社
発行所　株式会社池田書店
〒162-0851　東京都新宿区弁天町43番地
電話03-3267-6821（代）
振替00120-9-60072

落丁、乱丁はお取り替えいたします。

ISBN978-4-262-15415-2

24053502